まえがき

税法学習は、税理士への真の第一歩!

本書を手にしたみなさんの多くは、税理士試験の会計科目(簿記論、財務諸表論)の受験をされた方や無事合格された方だと思います。よくぞ、ここまで来られました!

そして、いよいよ税法科目の学習をはじめようとされる方にあらためて伝えておきたいことがあります。それは、税理士とは「税法のプロフェッショナルであり、法律家である」ということです。

ですから、税法の学習は税理士への真の第一歩を踏み出したことになります。

ここからまた気を引き締めていけば、税理士試験の合格も間近です。

さて、ネットスクールでは税理士試験を目指す方への資格支援の学校として、画期的なことを行いました。それは、本来、高額な受講料を払ってのみ手にすることのできる講座使用教材を書店やネットショップで市販することでした。

これにより、独学者にも平等に合格を目指す機会を提供することができましたし、また、独学者が同じ教材を使用して講座学習に切り替えられるという利便性を高めることができました。

一方で、講座使用教材を誰もが購入できるということは、講座の付加価値の希薄化を招き、さらには講座のノウハウの流出というリスクも抱えてしまうことになりかねません。

しかしそれでも、人生を賭けてチャレンジする受験生にとってよりよい教材は生命線であり、その気持ちを想像したときに、講座使用教材を市販することについて一縷の迷いも生じることはありませんでした。

合格するための状況は我々が整えます。

みなさんは、この本で勇気を持って始め、本気で学んでください。

そうすれば、みなさん自身ばかりではなく、みなさんの周りの人たちをも幸せにできる、そんな人生が開けてきます。

さあ、この一歩、いま踏み出しましょう!

税理士WEB講座
講師一同

目次

Contents

税理士試験　理論集
相続税法

8 納税猶予及び免除

9 延納・物納

10 災害減免

理論学習法

巻末付録

効果的でムダのない理論学習

本書の構成・特長

本書は以下６つの特長により、効果的でムダのない理論学習が行えます。

❶　全体を 10 のテーマに区分、テーマごとに枝番をつけて整理しています。

❷　過去の出題理論ごとに１題にまとめ、タイトルを付しています。

❸　過去の出題年度を表記し、出題頻度、出題サイクルを確認できます。

❹　重要理論については、音声による暗記学習が可能です。（詳細は右ページ）

❺　優先マーク ✤ を表記し、暗記の優先順位を３➡２➡１の数で示しています。

❻　正確に覚えるべきキーワードや条文表現を太字にしています。

1-1　納税義務者　出題年度：S56・H13・H26　他1回

相続税の納税義務者

1　相続税の納税義務者（法１の３①）✤✤✤

次の者は、相続税を納める義務がある。

(1)　**居住無制限納税義務者**

相続又は遺贈により財産を取得した次に掲げる者であって、その財産を取得した時において**法施行地に住所を有するもの**

①　**一時居住者でない個人**

②　**一時居住者である個人**（被相続人が**外国人被相続人**又は**非居住被相続人**である場合を除く。）

(2)　**非居住無制限納税義務者**

相続又は遺贈により財産を取得した次に掲げる者であって、その財産を取得した時において**法施行地に住所を有しないもの**

①　**日本国籍を有する個人**であって次に掲げるもの

イ　**相続の開始前10年以内**のいずれかの時において**法施行地に住所を有していたことがあるもの**

ロ　**相続の開始前10年以内**のいずれの時においても**法施行地に住所を有していたことがないもの**（被相続人が**外国人被相続人**又は**非居住被相続人**である場合を除く。）

②　**日本国籍を有しない個人**（被相続人が**外国人被相続人**又は**非居住被相続人**である場合を除く。）

(3)　**居住制限納税義務者**

いつでもどこでも理論の音声学習ができる

音声学習コンテンツ『ノウン』のご案内

iOS、Android 端末対応
980円*
受験生応援価格！
＊2024年8月現在

特長1 **重要理論の音声とデジタル版のWダウンロード**

理論音声に加え、デジタル版も同時にダウンロードできます。ネット環境に関係なく、いつでもどこでも理論学習が可能です。移動中や外出先でもスマホやタブレットひとつで、すぐに学習を開始できます。（重要理論をピックアップしてのご提供となります。）

特長2 **ドリルモードで優先箇所から反復学習**

ノウンの機能「ドリルモード」では、優先マーク（✤）の付いた規定の柱ごとに暗記を進めることができます。優先マークの多いものから繰り返し覚え込むことができます。

特長3 **暗記モードで忘れない！間違えない！**

ノウンの機能「暗記モード」では、理論を1題ごとに選択し、最初から最後まで通して聞くことができます。一度覚えた理論を何度も聞き直すことで、暗記の定着を図るとともに暗記の正確性を高めることができます。

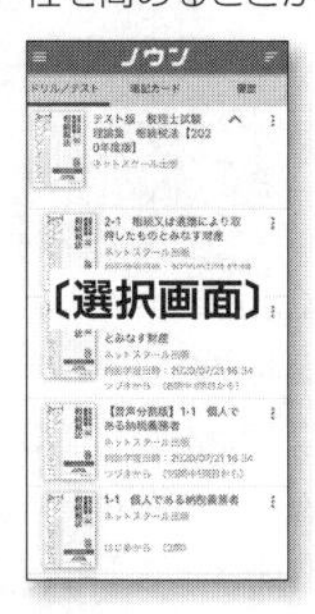

※ 画像は開発中のものです。

まずは1ヵ月間利用できる無料お試し版（サンプル）をお試しください！

無料お試し版は「ノウンストア」にて配布いたします。

下記のURLまたは右のQRコードで「ノウンストア」にアクセスし、サイト内の案内に従って無料お試し版をご利用下さい。

https://knoun.jp/knounclient/static/books/store.html

もっと利用したいという場合のご購入手続きについて

アプリ内での製品版をお買い求めください。簡単なご購入手続きにより、即ご利用いただけます。

詳しくは、お試し版に付属している利用案内等もご確認下さい。

アプリのダウンロード はこちらから

▼iOS版▼

▼Android版▼

※ 配信準備や審査等の都合により、販売開始までお待ち頂く場合がございます。
※ 為替相場の変動等の要因により販売価格が変更となる場合がございます。
※ アプリやデータのダウンロードに要する通信料はお客様のご負担となります。
※ 発売期間は2025年8月末日までの予定です。予めご了承ください。
※ 一度ご購入された場合、異なる端末等でも2025年8月末日までは再ダウンロードが可能です。
※ ノウンはNTTアドバンステクノロジ株式会社が提供するサービスです。
※ ノウンはNTTアドバンステクノロジ株式会社の登録商標です。

学習をはじめる前に

著者からのメッセージ

本書の著者であり、WEB講座の講師でもある山本和史先生から、本書を学習する前の心構えとしてメッセージがございます。本書を最大限に有効活用するためにも、まずはこのメッセージをお読みください。

プロフィール
講師　山本和史（やまもとかずふみ）
講師歴38年。わかりやすい講義をモットーとし、長年の講師歴の中で培った受験生の陥りやすい誤りを未然に防ぐ授業を展開し受験生を合格へと導く。

◆学習アドバイス

税理士試験受験生にとって理論暗記は避けて通ることができないものですが、理論暗記は一朝一夕でできるものではなく地道な努力(学習時間)が必要とされます。本書は受験生の皆様の学習時間を短縮できるよう各理論内容についてコンパクトに取り纏め覚えやすく編集しています。また、一度覚えた理論内容を忘れないようにするためには各理論の内容を正しく理解することにあります。このようなことから別冊の教科書を使って、理解しながら覚え一度覚えた理論が長続きするようにしてください。

◆最新の出題傾向とその対策

理論の試験問題は、問１で応用理論、問２で事例理論という出題形式が十数年続いていましたが、ここ数年においては問１、問２関係なく、個別理論、応用理論、事例理論のいずれも出題されています。第68回試験と第69回試験では個別理論と応用理論が出題され、第70回試験からは事例理論のみが出題されました。したがって、どの出題形式にも対応できるように、まずはこの理論集で個別理論をしっかりと暗記することが重要となります。

本書シリーズ

法令等の改正情報の公開について

本書税理士シリーズについて、法令等の改正や会計基準等の変更があった場合には、改正・変更に関する情報を公開いたします。

https://www.net-school.co.jp/

読者の方へ　＞　税理士試験/科目　＞　改正情報

凡例（略式名称……正式名称）

法……相続税法　　令……相続税法施行令　　法附則……相続税法附則
措法……租税特別措置法　　措令……租税特別措置法施行令
措規……租税特別措置法施行規則
国通……国税通則法
災免法……災害被害者に対する租税の減免、徴収猶予等に関する法律
災免令……同上の法律の施行に関する政令

引用例

法19の2①一イ……相続税法第19条の2第1項第一号イ

（注）　本書は、令和6年（2024年） 4月1日施行の法令等に基づき作成しています。

税理士試験

理論集

相続税法

2025
年度版

TAX ACCOUNTANT

ネットスクール出版

1-1 納税義務者　出題年度：S56・H13・H26　他1回

相続税の納税義務者

1 相続税の納税義務者（法1の3①）✤✤✤

次の者は、相続税を納める義務がある。

⑴ **居住無制限納税義務者**

相続又は遺贈により財産を取得した次に掲げる者であって、その財産を取得した時において**法施行地に住所を有するもの**

① **一時居住者でない個人**

② **一時居住者である個人**（被相続人が**外国人被相続人**又は**非居住被相続人**である場合を除く。）

⑵ **非居住無制限納税義務者**

相続又は遺贈により財産を取得した次に掲げる者であって、その財産を取得した時において**法施行地に住所を有しないもの**

① **日本国籍を有する個人**であって次に掲げるもの

イ **相続の開始前10年以内**のいずれかの時において**法施行地に住所を有していたことがあるもの**

ロ **相続の開始前10年以内**のいずれの時においても**法施行地に住所を有していたことがないもの**（被相続人が**外国人被相続人**又は**非居住被相続人**である場合を除く。）

② **日本国籍を有しない個人**（被相続人が**外国人被相続人**又は**非居住被相続人**である場合を除く。）

⑶ **居住制限納税義務者**

相続又は遺贈により**法施行地にある財産を取得した個人**でその財産を取得した時において**法施行地に住所を有するもの**（⑴の者を除く。）

⑷ **非居住制限納税義務者**

相続又は遺贈により**法施行地にある財産を取得した個人**でその財産を取得した時において**法施行地に住所を有しないもの**（⑵の者を除く。）

⑸ **特定納税義務者**

贈与により**相続時精算課税適用財産を取得した個人**（⑴から⑷の者を除く。）

2　国外転出をする場合等の住所　(法1の3②) ✤

国外転出をする場合等の譲渡所得等の特例の適用がある場合の納税猶予の規定の適用がある場合における 1 の(1)②又は(2)①ロもしくは(2)②の規定の適用については、次に定めるところによる。

(1)　国外転出をする場合の納税猶予期限の延長を受ける**個人が死亡した場合**には、その個人は、その個人の死亡に係る**相続の開始前10年以内**のいずれかの時において**法施行地に住所を有していたものとみなす**。

(2)　贈与により非居住者に資産が移転した場合の**受贈者が死亡した場合**には、その受贈者は、その受贈者の死亡に係る**相続の開始前10年以内**のいずれかの時において**法施行地に住所を有していたものとみなす**。

(3)　相続又は遺贈により非居住者に資産が移転した場合の**相続人**(包括受遺者を含む。以下同じ。)**が死亡した場合**には、その相続人は、その相続人に係る**相続の開始前10年以内**のいずれかの時において**法施行地に住所を有していたものとみなす**。

(注)　上記(2)の受贈者又は(3)の相続人がその贈与前又は相続の開始前10年以内のいずれの時においても法施行地に住所を有していたことがない場合には、この限りでない。

① **一時居住者**

相続開始の時において在留資格を有する者であってその相続の開始前15年以内において法施行地に住所を有していた期間の合計が10年以下であるものをいう。

② **外国人被相続人**

相続開始の時において、在留資格を有し、かつ、法施行地に住所を有していた被相続人をいう。

③ **非居住被相続人**

相続開始の時において法施行地に住所を有していなかった被相続人であって、その相続の開始前10年以内のいずれかの時において法施行地に住所を有していたことがあるもののうちそのいずれの時においても日本国籍を有していなかったもの又はその相続の開始前10年以内のいずれの時においても法施行地に住所を有していたことがないものをいう。

1-2　納税義務者　　出題年度：S49・H20・R3

贈与税の納税義務者

1　贈与税の納税義務者（法１の４①）✤✤✤

次の者は、贈与税を納める義務がある。

⑴　**居住無制限納税義務者**

贈与により財産を取得した次に掲げる者であって、その財産を取得した時において**法施行地に住所を有するもの**

①　**一時居住者でない個人**

②　**一時居住者である個人**（贈与者が**外国人贈与者**又は**非居住贈与者**である場合を除く。）

⑵　**非居住無制限納税義務者**

贈与により財産を取得した次に掲げる者であって、その財産を取得した時において**法施行地に住所を有しないもの**

①　**日本国籍を有する個人**であって次に掲げるもの

イ　**贈与前10年以内**のいずれかの時において**法施行地に住所を有していたことがあるもの**

ロ　**贈与前10年以内**のいずれの時においても**法施行地に住所を有していたことがないもの**（贈与者が**外国人贈与者**又は**非居住贈与者**である場合を除く。）

②　**日本国籍を有しない個人**（贈与者が**外国人贈与者**又は**非居住贈与者**である場合を除く。）

⑶　**居住制限納税義務者**

贈与により**法施行地にある財産を取得した個人**でその財産を取得した時において**法施行地に住所を有するもの**（⑴の者を除く。）

⑷　**非居住制限納税義務者**

贈与により**法施行地にある財産を取得した個人**でその財産を取得した時において**法施行地に住所を有しないもの**（⑵の者を除く。）

2　国外転出をする場合等の住所　（法1の4②）✤

国外転出をする場合等の譲渡所得等の特例の適用がある場合の納税猶予の規定の適用がある場合における1の⑴②又は⑵①ロもしくは⑵②の規定の適用については、次に定めるところによる。

⑴　国外転出をする場合の納税猶予期限の延長を受ける**個人が財産の贈与をした場合**には、その個人は、その**贈与前10年以内**のいずれかの時において**法施行地に住所を有していたものとみなす**。

⑵　贈与により非居住者に資産が移転した場合の**受贈者が財産の贈与をした場合**には、その受贈者は、その受贈者の贈与に係る**贈与前10年以内**のいずれかの時において**法施行地に住所を有していたものとみなす**。

⑶　相続又は遺贈により非居住者に資産が移転した場合の**相続人が財産の贈与をした場合**には、その相続人は、その**贈与前10年以内**のいずれかの時において**法施行地に住所を有していたものとみなす**。

（注）　上記⑵の受贈者又は⑶の相続人がその贈与前又は相続の開始前10年以内のいずれの時においても法施行地に住所を有していたことがない場合には、この限りでない。

① **一時居住者**

贈与の時において在留資格を有する者であってその贈与前15年以内において法施行地に住所を有していた期間の合計が10年以下であるものをいう。

② **外国人贈与者**

贈与の時において、在留資格を有し、かつ、法施行地に住所を有していた贈与者をいう。

③ **非居住贈与者**

贈与の時において法施行地に住所を有していなかった贈与者であって、その贈与前10年以内のいずれかの時において法施行地に住所を有していたことがあるもののうちそのいずれの時においても日本国籍を有していなかったもの又はその贈与前10年以内のいずれの時においても法施行地に住所を有していたことがないものをいう。

出題年度：R3・R5・R6 他5回

個人とみなす納税義務者等（信託等の特例を除く）

1 人格のない社団等又は持分の定めのない法人に対する課税 ✤✤✤

⑴ 人格のない社団等（法66①②）

人格のない社団等に対し財産の贈与、遺贈又は設立のための提供(以下「贈与等」という。)があった場合においては、その人格のない社団等を**個人とみなして**、贈与税又は相続税を課する。

⑵ 持分の定めのない法人（法66④）

持分の定めのない法人に対し財産の贈与等があった場合において、その贈与等によりその贈与等をした者の親族その他これらの者と特別の関係がある者の**相続税又は贈与税の負担が不当に減少する結果となる**と認められるときは、その持分の定めのない法人を**個人とみなして**、贈与税又は相続税を課する。

⑶ 贈与税額の計算（法66①④）

⑴又は⑵の場合においては、**贈与者の異なるごと**に、その贈与者の**各一人のみから財産を取得したものとみなして**算出した贈与税額の合計額をもって納付すべき贈与税額とする。

⑷ 法人税等相当額の控除（法66⑤）

⑴又は⑵の適用がある場合において、人格のない社団等又は持分の定めのない法人に課される贈与税又は相続税の額については、これらの人格のない社団等又は持分の定めのない法人に課されるべき**法人税等相当額を控除する**。

2 特定一般社団法人等に対する課税 ✤✤✤

⑴ 特定一般社団法人等（法66の２①）

一般社団法人等の理事である者(その一般社団法人等の理事でなくなった日から５年を経過していない者を含む。)が**死亡した場合**において、その一般社団法人等が**特定一般社団法人等に該当するとき**は、その特定一般社団法人等はその死亡した者(以下「被相続人」という。)の相続開始の時におけるその特定一般社団法人等の**純資産額**(その有する財産の価額の合計額からその有する債務の価額の合計額を控除した金額として一定の金額をいう。)をその時におけるその特定一般社団法人等の**同族理事の数に一を加えた数で除して計算した金額**に相当する金額をその被相続人から**遺贈により取得したものと**、その特定一般社団法人等は**個人とそれぞれみなして**、その特定一般社団法人等に相続税を課する。

⑵ 二重課税の控除（法66の２③）

⑴により特定一般社団法人等に相続税が課税される場合には、その特定一般社団法人等の相続税の額については、1⑵**によりその特定一般社団法人等に課された贈与税及び相続税の税額を控除する。**

⑶ 生前贈与加算の不適用（法66の２⑤）

⑴の適用がある場合において、特定一般社団法人等が被相続人に係る相続の開始前７年以内にその被相続人から贈与により取得した財産の価額については、**生前贈与加算の規定は、適用しない。**

3 住所の判定（法66③④、66の２④）✤

人格のない社団等、持分の定めのない法人又は特定一般社団法人等の住所は、その**主たる営業所又は事務所の所在地にあるものとみなす。**

4 特別の法人から受ける利益に対する課税（法65①）✤✤

持分の定めのない法人で、その**施設の利用**等についてその**法人関係者**又はその親族その他これらの者と特別の関係がある者に対し**特別の利益を与えるもの**に対して財産の贈与等があった場合においては、1⑵**の適用がある場合を除くほか**、その財産の贈与等があった時において、その法人から**特別の利益を受ける者**が、その財産（公益事業用財産を除く。）の贈与等により受ける**利益の価額**に相当する金額をその財産の贈与等をした者から**贈与又は遺贈により取得したものとみなす。**

① **同族理事**

一般社団法人等の理事のうち、被相続人又はその配偶者、三親等内の親族その他その被相続人の特殊関係者をいう。

② **特定一般社団法人等**

一般社団法人等で次に掲げる要件のいずれかを満たすものをいう。

イ　被相続人の相続開始直前におけるその被相続人に係る同族理事の数の理事の総数のうちに占める割合が２分の１を超えること。

ロ　被相続人の相続開始前５年以内においてその被相続人に係る同族理事の数の理事の総数のうちに占める割合が２分の１を超える期間の合計が３年以上であること。

2-1 みなし取得財産　出題年度：S53・S58・H元　他5回

相続又は遺贈により取得したものとみなす財産

1　相続又は遺贈により取得したものとみなす場合 ✤✤✤

次のいずれかの場合においては、それぞれの者が、それぞれの財産を相続又は遺贈により取得したものとみなす。この場合において、その者が**相続人**であるときは**相続により取得したものとみなし**、その者が**相続人以外の者**であるときは**遺贈により取得したものとみなす。**

⑴　**生命保険金等**（法３①一）

被相続人の死亡により相続人その他の者が生命保険契約の保険金又は損害保険契約の**保険金**（偶然な事故に基因する死亡に伴い支払われるものに限る。）**を取得した場合**においては、その**保険金受取人**について、その保険金のうち次の算式により計算した部分

$$保険金（⑵⑸⑹を除く。）\times\frac{被相続人が負担した保険料の金額}{被相続人の死亡の時までに払い込まれた保険料の全額}$$

⑵　**退職手当金等**（法３①二）

被相続人の死亡により相続人その他の者がその被相続人に支給されるべきであった退職手当金、功労金その他これらに準ずる給与で**被相続人の死亡後３年以内に支給が確定したものの支給を受けた場合**においては、その**給与の支給を受けた者**について、その給与

⑶　**生命保険契約に関する権利**（法３①三）

相続開始の時において、**まだ保険事故が発生していない**生命保険契約（掛捨保険契約を除く。）で**被相続人が保険料の全部又は一部を負担**し、かつ、**被相続人以外の者がその生命保険契約の契約者であるものがある場合**においては、その生命保険契約の**契約者**について、その契約に関する権利のうち次の算式により計算した部分

$$生命保険契約に関する権利\times\frac{被相続人が負担した保険料の金額}{相続開始の時までに払い込まれた保険料の全額}$$

⑷　**定期金に関する権利**（法３①四）

相続開始の時において、**まだ定期金給付事由が発生していない**定期金給付契約**（生命保険契約を除く。）**で**被相続人が掛金又は保険料**（以下「保険料等」という。）**の全部又は一部を負担**し、かつ、**被相続人以外の者が契約者であるものがある場合**においては、その**契約者**について、その契約に関する権利のうち次の算式により計算した部分

$$定期金に関する権利\times\frac{被相続人が負担した保険料等の金額}{相続開始の時までに払い込まれた保険料等の全額}$$

⑸ **保証期間付定期金に関する権利**（法３①五）

保証期間付定期金給付契約に基づいて**定期金受取人たる被相続人の死亡後、相続人その他の者が定期金受取人又は一時金受取人となった場合**においては、その**定期金受取人**又は**一時金受取人となった者**について、その契約に関する権利のうち次の算式により計算した部分

$$\text{保証期間付定期金に関する権利} \times \frac{\text{被相続人が負担した保険料等の金額}}{\text{相続開始の時までに払い込まれた保険料等の全額}}$$

⑹ **契約に基づかない定期金に関する権利**（法３①六）

被相続人の死亡により相続人その他の者が定期金に関する権利で**契約に基づくもの以外のもの**を取得した場合においては、その**定期金に関する権利を取得した者**について、その権利（⑵を除く。）

2 被相続人の被相続人が負担した保険料等（法３②）✤✤

1⑴又は⑶から⑸の適用については、被相続人の被相続人が負担した保険料等は、**被相続人が負担した保険料等とみなす。**

ただし、**契約者**がその被相続人の被相続人から**生命保険契約に関する権利**又は**定期金に関する権利**を相続又は遺贈により取得したものとみなされた場合においては、その被相続人の被相続人が負担した保険料等については、**この限りでない。**

3 遺言により払い込まれた保険料等（法３③）✤

1⑶又は⑷の適用については、被相続人の遺言により払い込まれた保険料等は、**被相続人が負担した保険料等とみなす。**

2-2 みなし取得財産 出題年度：H13・R2

遺贈により取得したものとみなす財産

1 遺贈により取得したものとみなす場合 ✤✤

(1) 特別縁故者に対する相続財産の分与（法４①）

相続財産法人に係る**相続財産の全部又は一部を与えられた場合**においては、その与えられた者が、その**与えられた時**におけるその**財産の時価に相当する金額**を被相続人から**遺贈により取得したものとみなす。**

(2) 特別寄与者に対する特別寄与料の支払（法４②）

特別寄与者が支払を受けるべき**特別寄与料の額が確定した場合**においては、その特別寄与者が、その**特別寄与料の額に相当する金額**をその特別寄与者による特別の寄与を受けた被相続人から**遺贈により取得したものとみなす。**

2 申告等の手続 ✤✤

(1) 相続税の期限内申告（法29①）

1 ⑴又は⑵の事由が生じたため**新たに期限内申告書を提出すべき要件に該当**することとなった者は、その**事由が生じたことを知った日の翌日から10月以内**（その者が納税管理人の届出をしないでその期間内に法施行地に住所及び居所を有しないこととなるときは、その住所及び居所を有しないこととなる日まで。以下同じ。）に**期限内申告書**を納税地の所轄税務署長に**提出しなければならない。**

(2) 相続税の修正申告（法31②）

相続税の期限内申告書又は期限後申告書を提出した者（決定を受けた者を含む。）は、1 ⑴又は⑵の事由が生じたため既に確定した相続税額に**不足を生じた場合**には、その**事由が生じたことを知った日の翌日から10月以内**に**修正申告書**を納税地の所轄税務署長に**提出しなければならない。**

(3) 相続税の更正の請求（法32①七）

相続税について申告書を提出した者又は決定を受けた者は、1 ⑴又は⑵の事由によりその申告又は決定に係る課税価格及び相続税額が**過大となったとき**は、その**事由が生じたことを知った日の翌日から４月以内に限り、納税地の所轄税務署長に対し、更正の請求をすることができる。**

コラム　@ランダム

【相続人の妻の介護に報いる『特別寄与料』の創設】

改正前の民法の規定では、被相続人の療養看護等に努め、その財産の維持又は増加に寄与した場合に対する制度として寄与分の規定がありましたが、この対象となるのは相続人のみであり、相続人以外の者が被相続人の療養看護に努め、被相続人の財産の維持に貢献した場合であっても、相続人でないことから遺産分割協議において分配を請求することはできず、何ら財産を取得することはできませんでした。このような取扱いに対しては、療養看護を一切行わなかった相続人が遺産を取得できるのに対し、療養看護をした相続人以外の者が何ら遺産を取得できないのは不公平であるとする意見もあります。そのため、相続人以外の者の貢献を考慮するための方策として特別寄与料の制度が創設されました。

具体的には、被相続人に対し、無償で療養看護その他の労務を提供したことにより被相続人の財産の維持又は増加について特別の寄与をした親族（相続人を除きます。以下「特別寄与者」といいます。）は、相続の開始後、相続人に対し、特別寄与者の寄与に応じた額の金銭の支払いを請求することができることとされました。

特別寄与料は相続人以外の親族から相続人に対して請求するものであり、被相続人から相続又は遺贈により取得した財産ではないものの、相続人と療養看護等をした親族との間の協議又は家庭裁判所の審判により定まること、相続開始から１年以内に請求しなければならないこと、遺産額を限度とすること、以上から被相続人の死亡と密接な関係を有し、経済的には遺産の取得に近い性質を有します。そのため、一連の相続の中で課税関係を処理することが適当であると考えられます。また、被相続人が相続人以外の者に対して財産を遺贈した場合との課税のバランスをとる必要もあります。そこで、特別寄与料に対しては、（所得税や贈与税ではなく）相続税を課税することとされました。

上記のとおり、特別寄与料は相続又は遺贈により取得するものではありません。一方、相続税は相続又は遺贈により取得した財産に課税するものなので、特別寄与料に相続税を課税するために、相続税法上、相続人からの特別寄与料の取得を被相続人から特別寄与者に対する遺贈とみなすこととされました。

出題年度：S48・S53・S58 他2回

贈与により取得したものとみなす財産

1 贈与により取得したものとみなす場合 ✤

⑴ 生命保険金等（法5①④）

生命保険契約又は損害保険契約の**保険事故**（偶然な事故に基因する保険事故で死亡を伴うものに限る。）**が発生した場合**において、これらの契約に係る保険料の全部又は一部が**保険金受取人以外の者によって負担されたものであるとき**は、これらの保険事故が発生した時において、**保険金受取人**が、次の保険金を、その保険料を負担した者から**贈与により取得したものとみなす**。

ただし、保険金受取人が生命保険金等又は退職手当金等を**相続又は遺贈により取得したものとみなされる場合**においては、その生命保険金等又は退職手当金等に相当する部分については、**適用しない**。

$$\text{保険金}^{※}\times\frac{\text{保険金受取人以外の者が負担した保険料の金額}}{\text{保険事故が発生した時までに払い込まれた保険料の全額}}$$

※　損害保険契約の保険金については、一定のものに限る。

⑵ 定期金（法6①）

定期金給付契約（**生命保険契約を除く。**）の定期金給付事由が発生した**場合**において、その契約に係る掛金又は保険料（以下「保険料等」という。）の全部又は一部が**定期金受取人以外の者によって負担されたものであるとき**は、その定期金給付事由が発生した時において、**定期金受取人**が、次の権利を、その保険料等を負担した者から**贈与により取得したものとみなす**。

$$\text{定期金に関する権利}\times\frac{\text{定期金受取人以外の者が負担した保険料等の金額}}{\text{定期金給付事由が発生した時までに払い込まれた保険料等の全額}}$$

⑶ 保証期間付定期金に関する権利（法6③）

保証期間付定期金給付契約に基づいて**定期金受取人たる被相続人の死亡後、相続人その他の者が定期金受取人又は一時金受取人となった場合**において、その契約に係る保険料等の全部又は一部が**定期金受取人**又は**一時金受取人**及び被相続人以外の**第三者によって負担されたものであるとき**は、相続の開始があった時において、その**定期金受取人**又は**一時金受取人**が、次の権利を、その第三者から**贈与により取得したものとみなす**。

$$\text{保証期間付定期金に関する権利}\times\frac{\text{第三者が負担した保険料等の金額}}{\text{相続開始の時までに払い込まれた保険料等の全額}}$$

2　**返還金等**（法５②、法６②）✤

1(1)、(2)の規定は、生命保険契約、損害保険契約又は定期金給付契約（生命保険契約を除く。）について返還金等の取得があった場合について準用する。

3　**保険料等負担者の被相続人が負担した保険料等**（法５③、法６④）✤

1、2の適用については、保険料等を負担した者の被相続人が負担した保険料等は、**その者が負担した保険料等とみなす**。

ただし、**保険金受取人**、**定期金受取人**若しくは**一時金受取人**又は**返還金等の取得者**がその被相続人から**生命保険契約に関する権利**又は**定期金に関する権利**を相続又は遺贈により取得したものとみなされた場合においては、その被相続人が負担した保険料等については、**この限りでない**。

2-4 みなし取得財産

出題年度：S49・S61・R2　他１回

贈与又は遺贈により取得したものとみなす低額譲受益等

1 低額譲受益（法７）✤✤

⑴ **課税される場合**

著しく低い価額の対価で財産の譲渡を受けた場合においては、その財産の譲渡があった時において、その**財産の譲渡を受けた者**が、その対価とその譲渡があった時におけるその財産の**時価との差額**に相当する金額をその財産を譲渡した者から**贈与**（その財産の譲渡が遺言によりなされた場合には、遺贈）**により取得したものとみなす。**

⑵ **課税されない場合**

その財産の譲渡が、その譲渡を受ける者が**資力を喪失して債務を弁済することが困難である場合**において、その者の**扶養義務者から**その債務の弁済に充てるためになされたものであるときは、その債務を弁済することが困難である部分の金額については、**この限りでない。**

2 債務の免除、引受け又は弁済による利益（法８）✤✤

⑴ **課税される場合**

対価を支払わないで、又は**著しく低い価額の対価**で**債務の免除**、**引受け**又は第三者のためにする**債務の弁済**（以下「債務の免除等」という。）による利益を受けた場合においては、その債務の免除等があった時において、その**債務の免除等による利益を受けた者**が、その債務の免除等に係る債務の金額に相当する金額をその債務の免除等をした者から**贈与**（その債務の免除等が遺言によりなされた場合には、遺贈）**により取得したものとみなす。**

⑵ **課税されない場合**

その債務の免除等が次のいずれかに該当する場合においては、その債務を弁済することが困難である部分の金額については、**この限りでない。**

① 債務者が資力を喪失して債務を弁済することが困難である場合において、その**債務の全部又は一部の免除を受けたとき。**

② 債務者が資力を喪失して債務を弁済することが困難である場合において、その債務者の**扶養義務者によって**その債務の全部又は一部の**引受け又は弁済がなされたとき。**

3 その他の利益の享受益（法９）✤✤

⑴ 課税される場合

一定のみなし規定に該当する場合を除くほか、**対価を支払わないで**、又は**著しく低い価額の対価**で利益を受けた場合においては、その利益を受けた時において、その**利益を受けた者**が、その利益を受けた時におけるその**利益の価額**に相当する金額をその利益を受けさせた者から**贈与**（その行為が遺言によりなされた場合には、遺贈）**により取得したものとみなす。**

⑵ 課税されない場合

その行為が、その利益を受ける者が**資力を喪失して債務を弁済することが困難である場合**において、その者の**扶養義務者から**その債務の弁済に充てるためになされたものであるときは、その債務を弁済することが困難である部分の金額については、**この限りでない。**

2-5 みなし取得財産

出題年度：S59・H20

贈与又は遺贈により取得したものとみなす信託受益権

1 信託の効力が生じた場合（法９の２①）✤✤

信託の効力が生じた場合において、**適正な対価を負担せずに**その信託の受益者等となる者があるときは、その信託の効力が生じた時において、その信託の**受益者等となる者**は、その**信託に関する権利**をその信託の**委託者**から**贈与**（その委託者の死亡によりその信託の効力が生じた場合には、遺贈）**により取得したものとみなす。**

2 新たに受益者等が存するに至った場合（法９の２②）✤✤

受益者等の存する信託について、適正な対価を負担せずに**新たにその信託の受益者等が存するに至った場合**（4の適用がある場合を除く。）には、その受益者等が存するに至った時において、その信託の**受益者等となる者**は、その**信託に関する権利**をその信託の受益者等であった者から贈与（その受益者等であった者の死亡により受益者等が存するに至った場合には、遺贈）**により取得したものとみなす。**

3 一部の受益者等が存しなくなった場合（法９の２③）✤✤

受益者等の存する信託について、その信託の**一部の受益者等が存しなくなった場合**において、適正な対価を負担せずに既にその信託の受益者等である者がその信託に関する権利について**新たに利益を受けることとなるとき**は、その信託の一部の受益者等が存しなくなった時において、その**利益を受ける者**は、その**利益**をその信託の一部の受益者等であった者から**贈与**（その受益者等であった者の死亡によりその利益を受けた場合には、遺贈）**により取得したものとみなす。**

4 信託が終了した場合 ✤（法９の２④）✤✤

受益者等の存する**信託が終了した場合**において、適正な対価を負担せずにその信託の**残余財産の給付を受けるべき**、又は**帰属すべき者となる者があるとき**は、その給付を受けるべき、又は帰属すべき者となった時において、その信託の**残余財産の給付を受けるべき、又は帰属すべき者となった者**は、その信託の**残余財産**（その信託の終了の直前においてその者がその信託の受益者等であった場合には、その受益者等として有していたその信託に関する権利に相当するものを除く。）をその信託の受益者等から**贈与**（その受益者等の死亡によりその信託が終了した場合には、遺贈）**により取得したものとみなす。**

5 資産及び負債の承継等（法９の２⑥）✤

1から3により贈与又は遺贈により取得したものとみなされる信託に関する権利又は利益を取得した者は、その信託の信託財産に属する資産及び負債を取得し、又は承継したものとみなす。

2-6 みなし取得財産

受益者等が存しない信託等の特例

1 委託者の親族が受益者等となる場合（法９の４①）✤✤

受益者等が存しない信託の効力が生ずる場合において、その信託の受益者等となる者がその信託の**委託者の親族であるとき**（その信託の受益者等となる者が明らかでない場合にあっては、その信託が終了した場合にその委託者の親族がその信託の残余財産の給付を受けることとなるとき）は、その信託の効力が生ずる時において、その信託の**受託者**は、その委託者からその**信託に関する権利**を**贈与**（その委託者の死亡によりその信託の効力が生ずる場合にあっては、遺贈）**により取得したものとみなす。**

2 受益者等の不存在によりその親族が受益者等となる場合（法９の４②）✤

受益者等の存する信託について、その信託の**受益者等が不存在となった場合**において、その受益者等の次に受益者等となる者がその信託の効力が生じた時の委託者又はその次に受益者等となる者の**前の受益者等の親族であるとき**（その次に受益者等となる者が明らかでない場合にあっては、その信託が終了した場合にその委託者又はその次に受益者等となる者の前の受益者等の親族がその信託の残余財産の給付を受けることとなるとき）は、その受益者等が不存在となった時において、その信託の**受託者**は、その次に受益者等となる者の前の受益者等からその**信託に関する権利**を**贈与**（その次に受益者等となる者の前の受益者等の死亡によりその次に受益者等となる者の前の受益者等が存しないこととなった場合にあっては、遺贈）**により取得したものとみなす。**

3 受託者が個人以外の場合（法９の４③）✤

1又は2の適用がある場合において、これらの信託の受託者が個人以外であるときは、その**受託者を個人とみなす。**

4 法人税等相当額の控除（法９の４④）✤

1から3の適用がある場合において、これらの受託者に課される贈与税又は相続税の額については、その受託者に課されるべき**法人税等相当額を控除する。**

5 受益者等が存することとなった場合（法９の５）✤✤

受益者等が存しない信託について、その信託の**契約締結時等において存しない者がその信託の受益者等となる場合**において、その信託の受益者等となる者がその信託の契約締結時等における**委託者の親族であるとき**は、その存しない者がその信託の受益者等となる時において、その信託の**受益者等となる者**は、その**信託に関する権利**を**個人から贈与により取得したものとみなす。**

3-1 課税価格計算　　出題年度：H26・R4・R6　他9回

相続税の課税財産の範囲及び課税価格

1 相続税の課税財産の範囲 ✤✤

⑴ **居住無制限納税義務者又は非居住無制限納税義務者**（法２①）

その者が相続又は遺贈により取得した財産の**全部**に対し、相続税を課する。

⑵ **居住制限納税義務者又は非居住制限納税義務者**（法２②）

その者が相続又は遺贈により取得した財産で**法施行地にあるもの**に対し、相続税を課する。

⑶ **特定納税義務者**（法21の16①）

特定贈与者からの贈与により取得した相続時精算課税適用財産をその特定贈与者から**相続**（その者がその特定贈与者の相続人以外の者である場合には、遺贈）**により取得したものとみなして**、相続税を課する。

2 相続税の課税価格 ✤✤

⑴ **居住無制限納税義務者又は非居住無制限納税義務者**（法11の２①）

相続又は遺贈により**取得した財産の価額の合計額**をもって、相続税の課税価格とする。

⑵ **居住制限納税義務者又は非居住制限納税義務者**（法11の２②）

相続又は遺贈により取得した財産で**法施行地にあるものの価額の合計額**をもって、相続税の課税価格とする。

⑶ **特定納税義務者**（法21の16①③）

特定贈与者からの贈与により取得した相続時精算課税適用財産をその特定贈与者から**相続**（その者がその特定贈与者の相続人以外の者である場合には、遺贈）**により取得したものとみなして**、相続税の課税価格を計算する。

この場合において、相続税の課税価格に算入される財産の価額は、**贈与の時における価額**による。

出題年度：H20・R3・R6　他3回

贈与税の課税財産の範囲及び課税価格

1　贈与税の課税財産の範囲 ✤✤

⑴　**居住無制限納税義務者又は非居住無制限納税義務者**（法２の２①）

その者が贈与により取得した財産の**全部**に対し、贈与税を課する。

⑵　**居住制限納税義務者又は非居住制限納税義務者**（法２の２②）

その者が贈与により取得した財産で**法施行地にあるもの**に対し、贈与税を課する。

2　贈与税の課税価格 ✤✤

⑴　**居住無制限納税義務者又は非居住無制限納税義務者**（法21の２①）

その年中において贈与により**取得した財産の価額の合計額**をもって、贈与税の課税価格とする。

⑵　**居住制限納税義務者又は非居住制限納税義務者**（法21の２②）

その年中において贈与により取得した財産で**法施行地にあるものの価額の合計額**をもって、贈与税の課税価格とする。

⑶　**⑴及び⑵に該当する者**（法21の２③）

その者が**無制限納税義務者に該当する期間内**に贈与により**取得した財産の価額**及び**制限納税義務者に該当する期間内**に贈与により取得した財産で**法施行地にあるものの価額**の**合計額**をもって、贈与税の課税価格とする。

⑷　**相続開始の年に被相続人から贈与を受けた場合**（法21の２④）

相続又は遺贈により財産を取得した者が**相続開始の年**においてその相続に係る被相続人から受けた贈与により取得した財産の価額で**生前贈与加算**の規定により相続税の課税価格に加算されるものは、**贈与税の課税価格に算入しない**。

⑸　**相続時精算課税に係る贈与税の課税価格**（法21の10）

相続時精算課税適用者が特定贈与者からの贈与により取得した財産については、**特定贈与者ごと**にその年中において贈与により取得した財産の価額を合計し、**それぞれの合計額**をもって、贈与税の課税価格とする。

3-3 課税価格計算 出題年度：S52・H18・H19 他３回

相続税法上の相続税の非課税財産

1 相続税の非課税財産（法12、法15②）✤✤

次の財産の価額は、**相続税の課税価格に算入しない。**

⑴ 皇室経済法の規定により**皇位**とともに**皇嗣が受けた物**

⑵ **墓所**、**霊びょう**及び**祭具**並びにこれらに準ずるもの

⑶ **宗教**、**慈善**、**学術**その他公益を目的とする事業を行う者で一定のものが相続又は遺贈により取得した財産でその**公益を目的とする事業の用に供することが確実なもの**

ただし、その財産を取得した者がその財産を取得した日から**２年を経過した日において**、なおその財産をその**公益を目的とする事業の用に供していない場合**においては、その財産の価額は、**課税価格に算入する。**

⑷ 条例の規定による**心身障害者共済制度**に基づく給付金の受給権

⑸ **相続人**の取得した相続税が課税される保険金（⑷を除く。以下同じ。）については、次の区分に応じ、次の金額に相当する部分

① Ａ≦Ｂの場合

その相続人の取得した保険金の金額

② Ａ＞Ｂの場合

$$B \times \frac{\text{その相続人の取得した保険金の合計額}}{A}$$

Ａ：すべての相続人が取得した保険金の合計額

Ｂ：保険金の非課税限度額（**500万円×法定相続人の数**）

⑹ **相続人**の取得した相続税が課税される退職手当金等については、次の区分に応じ、次の金額に相当する部分

① Ａ≦Ｂの場合

その相続人の取得した退職手当金等の金額

② Ａ＞Ｂの場合

$$B \times \frac{\text{その相続人の取得した退職手当金等の合計額}}{A}$$

Ａ：すべての相続人が取得した退職手当金等の合計額

Ｂ：退職手当金等の非課税限度額（**500万円×法定相続人の数**）

3-4 課税価格計算　　出題年度：S62・H10・H25　他５回

相続税法上の贈与税の非課税財産

1 贈与税の非課税財産（法21の３、21の４①、21の２④）✤✤

次の財産の価額は、**贈与税の課税価格に算入しない**。

⑴ **法人からの贈与**により取得した財産

⑵ **扶養義務者相互間**において**生活費**又は**教育費**に充てるためにした贈与により取得した財産のうち**通常必要と認められるもの**

⑶ **宗教、慈善、学術**その他公益を目的とする事業を行う者で一定のものが贈与により取得した財産でその**公益を目的とする事業の用に供することが確実なもの**

ただし、その財産を取得した者がその財産を取得した日から**２年を経過した日において**、なおその財産をその**公益を目的とする事業の用に供していない場合**においては、その財産の価額は、**課税価格に算入する**。

⑷ 特定公益信託で**学術に関する顕著な貢献を表彰するもの**として、若しくは顕著な価値がある**学術に関する研究を奨励するもの**から交付される**金品**で一定のもの又は学生若しくは生徒に対する**学資の支給を行うことを目的**とする特定公益信託から交付される**金品**

⑸ 条例の規定による**心身障害者共済制度**に基づく給付金の受給権

⑹ 公職選挙法の適用を受ける選挙における公職の候補者が**選挙運動に関し贈与により取得した金銭、物品その他の財産上の利益**で同法の規定による**報告がなされたもの**

⑺ **特定障害者**（非居住無制限納税義務者、居住制限納税義務者、非居住制限納税義務者を除く。以下同じ。）が、その特定障害者を受益者とする**特定障害者扶養信託契約**に基づいて**信託受益権を有することとなる場合**において、その信託の際、**障害者非課税信託申告書**を**納税地の所轄税務署長に提出したとき**は、その信託受益権のうち**6,000万円**（特定障害者のうち特別障害者以外の者にあっては、3,000万円）までの金額（既にこの規定の適用を受けた部分の価額を控除した残額）に相当する部分

⑻ 相続又は遺贈により財産を取得した者が**相続開始の年**において被相続人から受けた贈与により取得した財産の価額で**生前贈与加算**の規定により相続税の課税価格に**加算されるもの**

債務控除

1 債務控除の範囲 ✤✤✤

⑴ **無制限納税義務者等**（法13①、令５の４①）

相続又は遺贈（**包括遺贈**及び被相続人からの**相続人に対する遺贈**に限る。以下同じ。）により財産を取得した者が**居住無制限納税義務者**、**非居住無制限納税義務者**又は**法施行地に住所を有する特定納税義務者**である場合においては、その相続又は遺贈により取得した財産及び相続時精算課税適用財産については、**課税価格に算入すべき価額**は、その財産の価額から次のものの金額のうち**その者の負担に属する部分の金額**を控除した金額による。

①　被相続人の債務で相続開始の際現に存するもの（**公租公課を含む。**）

②　被相続人に係る**葬式費用**

⑵ **制限納税義務者等**（法13②、令５の４①）

相続又は遺贈により財産を取得した者が**居住制限納税義務者**、**非居住制限納税義務者**又は**法施行地に住所を有しない特定納税義務者**である場合においては、その相続又は遺贈により取得した財産で法施行地にあるもの及び相続時精算課税適用財産については、**課税価格に算入すべき価額**は、その財産の価額から**被相続人の債務**で次のものの金額のうち**その者の負担に属する部分の金額**を控除した金額による。

①　その財産に係る公租公課

②　その財産を目的とする留置権等で担保される債務

③　①、②の債務を除くほか、その財産の取得、維持又は管理のために生じた債務

④　その財産に関する贈与の義務

⑤　①から④の債務を除くほか、被相続人が死亡の際法施行地に営業所又は事業所を有していた場合においては、その営業所又は事業所に係る営業上又は事業上の債務

2 控除が認められない債務（法13③） ✤

次の財産の**取得**、**維持**又は**管理**のために生じた債務の金額は、1の**控除金額に算入しない。**

ただし、⑵の財産の価額を**課税価格に算入した場合**においては、**この限りでない。**

⑴　墓所、霊びょう及び祭具並びにこれらに準ずるもの

⑵　宗教、慈善、学術その他公益を目的とする事業を行う者で一定のものが相続又は遺贈により取得した財産でその公益を目的とする事業の用に供することが確実なもの

3　特別寄与者に対する特別寄与料の支払がある場合（法13④）✤✤

特別寄与者が支払を受けるべき特別寄与料の額がその**特別寄与者に係る課税価格に算入される場合**においては、その特別寄与料を支払うべき相続人が相続又は遺贈により取得した財産及び相続時精算課税適用財産については、その相続人に係る**課税価格に算入すべき価額**は、その財産の価額からその特別寄与料の額のうち**その者の負担に属する部分の金額**を控除した金額による。

4　控除すべき債務（法14①②③、令3）✤✤

⑴　控除すべき債務

[1]により控除すべき債務は、**確実と認められるもの**に限る。

⑵　公租公課の金額

[1]により控除すべき公租公課の額は、被相続人の死亡の際納税義務が確定しているもののほか、被相続人の死亡後相続税の納税義務者が納付し、又は徴収されることとなった**被相続人に係る所得税額、相続税額、贈与税額**等とする。

ただし、**相続人**（包括受遺者を含む。以下同じ。）の**責めに帰すべき事由**により納付し、又は徴収されることとなった附帯税に相当する税額等を**含まないものとする。**

⑶　公租公課に含まれない所得税額

⑵の債務の確定している公租公課の金額には、被相続人が国外転出をする場合等の譲渡所得等の特例に係る**納税猶予分の所得税額を含まない。**

ただし、その被相続人の納付の義務を承継したその被相続人の**相続人が納付することとなった納税猶予分の所得税額及び利子税の額**については、**この限りでない。**

出題年度：H17・H20・R2 他4回

小規模宅地等についての相続税の課税価格の計算の特例

1 相続税の課税価格の計算の特例（措法69の4①）✤✤✤

個人が相続又は遺贈により取得した財産のうちに、その**相続の開始の直前**において、**被相続人**又はその**被相続人と生計を一にしていたその被相続人の親族**の**事業**（準事業を含む。）**の用**又は**居住の用**（居住の用に供することができない事由として一定の事由により相続の開始の直前においてその被相続人の居住の用に供されていなかった場合におけるその事由により居住の用に供されなくなる直前のその被相続人の居住の用を含む。）に供されていた宅地等で一定の**建物**又は**構築物**の敷地の用に供されているもの（**特定事業用宅地等**、**特定居住用宅地等**、**特定同族会社事業用宅地等**及び**貸付事業用宅地等**に限る。以下「**特例対象宅地等**」という。）がある場合には、その相続又は遺贈により財産を取得した者に係る全ての特例対象宅地等のうち、その個人が取得をした特例対象宅地等又はその一部でこの規定の適用を受けるものとして選択をしたもの（以下「**選択特例対象宅地等**」という。）については、限度面積要件を満たすその選択特例対象宅地等（以下「小規模宅地等」という。）に限り、**相続税の課税価格に算入すべき価額**は、その小規模宅地等の価額に次の区分に応じそれぞれに定める割合を乗じて計算した金額とする。

⑴ 特定事業用宅地等、特定居住用宅地等及び特定同族会社事業用宅地等である小規模宅地等‥‥$\frac{20}{100}$

⑵ 貸付事業用宅地等である小規模宅地等‥‥$\frac{50}{100}$

2 限度面積要件（措法69の4②）✤

1に規定する限度面積要件は、次の選択特例対象宅地等の区分に応じ、それぞれに定める要件とする。

⑴ 特定事業用等宅地等である場合 … 面積の合計が**400㎡以下**であること。

⑵ 特定居住用宅地等である場合 … 面積の合計が**330㎡以下**であること。

⑶ 貸付事業用宅地等である場合 … 次の面積の合計が**200㎡以下**であること。

① 特定事業用等宅地等の面積の合計×$\frac{200}{400}$

② 特定居住用宅地等の面積の合計×$\frac{200}{330}$

③ 貸付事業用宅地等の面積の合計

3　未分割である場合（措法69の4④）✤✤

1の規定は、相続税の期限内申告書の提出期限（以下「申告期限」という。）までに共同相続人又は包括受遺者によって**分割されていない**特例対象宅地等については、**適用しない**。

ただし、その分割されていない特例対象宅地等が**申告期限から３年以内**（その期間内にその特例対象宅地等が分割されなかったことにつき、やむを得ない事情がある場合において、納税地の所轄税務署長の承認を受けたときは、その特例対象宅地等の分割ができることとなった日の翌日から４月以内）に**分割された場合**（特定計画山林についての相続税の課税価格の計算の特例の適用を受けている場合を除く。）には、その分割されたその特例対象宅地等については、**この限りでない**。

4　更正の請求の特則（措法69の4⑤）✤✤

相続税について申告書を提出した者又は決定を受けた者は、3のただし書きの場合において、その分割が行われた時以後において1を適用して計算した相続税額がその時前において1を適用して計算した**相続税額と異なることとなったこと**（**相続税の課税価格が異なることとなった場合を除く**。）によりその申告又は決定に係る相続税額が**過大となったとき**は、その**事由が生じたことを知った日の翌日から４月以内**に限り、納税地の所轄税務署長に対し、**更正の請求をすることができる**。

5　適用除外（措法69の4⑥）✤✤

1の規定は、個人の事業用資産についての贈与税の納税猶予及び免除の規定の適用を受けた**特例事業受贈者に係る贈与者から相続又は遺贈により取得**（個人の事業用資産の贈与者が死亡した場合の相続税の課税の特例の規定により相続又は遺贈により取得をしたものとみなされる場合におけるその取得を含む。）**をした特定事業用宅地等**及び個人の事業用資産についての相続税の納税猶予及び免除の規定の適用を受ける**特例事業相続人等に係る被相続人から相続又は遺贈により取得をした特定事業用宅地等**については、**適用しない**。

6　手　続（措法69の4⑦⑧）✤✤✤

1の規定は、**税務署長がやむを得ない事情があると認める場合を除き**、相続税の**期限内申告書**（**期限後申告書**及び**修正申告書**を含む。）に、この規定の適用を受けようとする旨を記載し、計算の明細書その他一定の書類の添付が**ある場合に限り、適用する**。

3-7 課税価格計算　　出題年度：S60・H30・R5

小規模宅地等の特例に係る用語の意義

1 特定事業用宅地等（措法69の4③一）✤✤

被相続人又はその被相続人と生計を一にしていたその被相続人の親族（以下「被相続人等」という。）の事業（不動産貸付業等を除く。以下[1]において同じ。）の用に供されていた宅地等で、次の要件のいずれかを満たすその被相続人の親族（その親族から相続又は遺贈によりその宅地等を取得したその親族の相続人を含む。⑴及び[4]⑴において同じ。）が相続又は遺贈により取得したもの（相続開始前3年以内に新たに事業の用に供された宅地等（一定の規模以上の事業を行っていた被相続人等のその事業の用に供されたものを除く。）を除く。）をいう。

⑴ その親族が、相続開始時から相続税の期限内申告書又は義務的修正申告書の提出期限（以下「申告期限」という。）までの間にその宅地等の上で営まれていた被相続人の事業を引き継ぎ、申告期限まで引き続きその宅地等を有し、かつ、その事業を営んでいること。

⑵ その被相続人の親族がその被相続人と生計を一にしていた者であって、相続開始時から申告期限（その親族が申告期限前に死亡した場合には、その死亡の日。[4]⑴を除き以下同じ。）まで引き続きその宅地等を有し、かつ、相続開始前から申告期限まで引き続きその宅地等を自己の事業の用に供していること。

2 特定居住用宅地等（措法69の4③二、措令40の2⑪⑭）✤✤

被相続人等の居住の用に供されていた宅地等（その宅地等が2以上ある場合には、主としてその居住の用に供していた一の宅地等に限る。）で、その被相続人の配偶者又は次の要件のいずれかを満たすその被相続人の親族（その被相続人の配偶者を除く。以下[2]において同じ。）が相続又は遺贈により取得したものをいう。

⑴ その親族が相続開始の直前においてその宅地等の上に存するその被相続人の居住の用に供されていた一棟の建物（その被相続人、その被相続人の配偶者又はその親族の居住の用に供されていた部分として一定の部分に限る。）に居住していた者であって、相続開始時から申告期限まで引き続きその宅地等を有し、かつ、その建物に居住していること。

⑵ その親族（その被相続人の居住の用に供されていた宅地等を取得した者で一定のものに限る。）が次の要件の全てを満たすこと（その被相続人の配偶者又は相続開始の直前においてその被相続人の居住の用に供されていた家屋に居住していた親族でその被相続人の法定相続人がいない場合に限る。）。

① 相続開始前３年以内に法施行地にあるその親族、その親族の配偶者、その親族の三親等内の親族又はその親族と特別の関係がある法人が所有する家屋（相続開始の直前においてその被相続人の居住の用に供されていた家屋を除く。）に居住したことがないこと。

② その被相続人の相続開始時にその親族が居住している家屋を相続開始前のいずれの時においても所有していたことがないこと。

③ 相続開始時から申告期限まで引き続きその宅地等を有していること。

⑶ その親族がその被相続人と生計を一にしていた者であって、相続開始時から申告期限まで引き続きその宅地等を有し、かつ、相続開始前から申告期限まで引き続きその宅地等を自己の居住の用に供していること。

3 特定同族会社事業用宅地等（措法69の４③三、措規23の２⑤）✤✤

相続開始の直前に被相続人及びその被相続人の親族その他その被相続人と特別の関係がある者が有する株式の総数又は出資の総額がその株式又は出資に係る法人の発行済株式の総数又は出資の総額の10分の５を超える法人の事業（不動産貸付業等を除く。以下3において同じ。）の用に供されていた宅地等で、その宅地等を相続又は遺贈により取得したその被相続人の親族（申告期限において、その法人の役員である者に限る。）が相続開始時から申告期限まで引き続き有し、かつ、申告期限まで引き続きその法人の事業の用に供されているものをいう。

4 貸付事業用宅地等（措法69の４③四、措令40の２⑲）✤✤

被相続人等の事業（不動産貸付業等に限る。以下「貸付事業」という。）の用に供されていた宅地等で、次の要件のいずれかを満たすその被相続人の親族が相続又は遺贈により取得したもの（3及び相続開始前３年以内に新たに貸付事業の用に供された宅地等（相続開始の日まで３年を超えて引き続き特定貸付事業を行っていた被相続人等のその貸付事業の用に供されたものを除く。）を除く。）をいう。

⑴ その親族が、相続開始時から申告期限までの間にその宅地等に係る被相続人の貸付事業を引き継ぎ、申告期限まで引き続きその宅地等を有し、かつ、その貸付事業の用に供していること。

⑵ その被相続人の親族がその被相続人と生計を一にしていた者であって、相続開始時から申告期限まで引き続きその宅地等を有し、かつ、相続開始前から申告期限まで引き続きその宅地等を自己の貸付事業の用に供していること。

3-8 課税価格計算　　出題年度：H17・H20

特定計画山林についての相続税の課税価格の計算の特例

1 相続税の課税価格の計算の特例（措法69の5①）✤✤✤

特定計画山林相続人等が、相続又は遺贈（被相続人からの相続時精算課税適用財産に係る贈与を含む。以下同じ。）により取得した特定計画山林でこの規定の適用を受けるものとして選択をしたもの（以下「**選択特定計画山林**」という。）について、その相続の開始の時から相続税の期限内申告書又は義務的修正申告書の提出期限（その特定計画山林相続人等がその提出期限前に死亡した場合には、その死亡の日。）まで引き続きその選択特定計画山林の全てを有している場合等には、**相続税の課税価格**（相続時精算課税適用財産の価額を加算した後の相続税の課税価格）**に算入すべき価額**は、その選択特定計画山林の価額に$\frac{95}{100}$を乗じて計算した金額とする。

2 未分割である場合（措法69の5③）✤✤

1の規定は、相続税の**期限内申告書の提出期限**（以下2において「申告期限」という。）**までに共同相続人**又は**包括受遺者**によって**分割されていない**特定計画山林については、**適用しない**。

ただし、その分割されていない特定計画山林が**申告期限から3年以内**（その期間内にその特定計画山林が分割されなかったことにつき、やむを得ない事情がある場合において、納税地の所轄税務署長の承認を受けたときは、その特定計画山林の分割ができることとなった日の翌日から4月以内）に**分割された場合**には、その分割されたその特定計画山林については、**この限りでない**。

3 小規模宅地等の特例との適用関係✤✤

(1) 選択適用（措法69の5④）

1の規定は、被相続人から相続又は遺贈により財産を取得した者が小規模宅地等についての相続税の課税価格の計算の特例の適用を受けている場合には、**適用しない**。

(2) 重複適用（措法69の5⑤）

選択宅地等面積（小規模宅地等として選択がされた宅地等の面積で一定のものの合計をいう。以下同じ。）が**200㎡未満である場合**において、特定森林経営計画対象山林（特定受贈森林経営計画対象山林を含む。以下同じ。）を選択特定計画山林として選択をするときは、(1)にかかわらず、**次の価額に達するまでの部分**について、1**の適用を受けることができる**。

$$\text{特定森林経営計画対象山林の価額} \times \frac{200\text{㎡} - \text{選択宅地等面積}}{200\text{㎡}}$$

4 更正の請求の特則（措法69の５⑥）✤✤

相続税について申告書を提出した者又は決定を受けた者は、2のただし書きの場合において、その分割が行われた時以後において1を適用して計算した相続税額がその時前において1を適用して計算した**相続税額と異なることとなったこと**（**相続税の課税価格が異なることとなった場合を除く。**）によりその申告又は決定に係る相続税額が**過大となったとき**は、その**事由が生じたことを知った日の翌日から４月以内**に限り、納税地の所轄税務署長に対し、**更正の請求をすることができる。**

5 手　続（措法69の５⑦⑧⑨⑩⑪）✤✤

⑴　1の規定は、**税務署長がやむを得ない事情があると認める場合を除き**、相続税の**期限内申告書**（**期限後申告書**及び**修正申告書**を含む。以下「相続税の申告書」という。）に、この規定の適用を受けようとする旨を記載し、計算の明細書その他一定の書類の添付が**ある場合に限り、適用する。**

⑵　特定贈与者からの贈与により取得をした特定受贈森林経営計画対象山林について1の適用を受けようとする特定計画山林相続人等は、**贈与税の期限内申告書の提出期間内**にこの規定の適用を受ける旨等を記載した書類を**納税地の所轄税務署長に提出しなければならない。**

　この場合において、その期間内に、その書類が納税地の所轄税務署長に提出されていないときは、その特定受贈森林経営計画対象山林については、1の適用を受けることができない。

⑶　1の規定は、**税務署長がやむを得ない事情があると認める場合を除き**、⑴にかかわらず、特定森林経営計画対象山林又は特定受贈森林経営計画対象山林について**相続税の申告書の提出期限から２月以内**に森林経営計画に基づき施業が行われていた旨等を証する書類の提出が**ない場合には、適用しない。**

出題年度：R元

特定土地等及び特定株式等に係る課税価格の計算の特例

1 相続税の課税価格の計算の特例 ✤✤

⑴ **適用要件**（措法69の6①）

特定非常災害発生日前に相続又は遺贈（被相続人からの相続時精算課税適用財産に係る贈与を含む。以下同じ。）により財産を取得した者があり、かつ、その相続又は遺贈に係る相続税の期限内申告書の提出期限がその**特定非常災害発生日以後**である場合において、その者がその相続若しくは遺贈により取得した財産又は贈与により取得した財産（その特定非常災害発生日の属する年の1月1日からその特定非常災害発生日の前日までの間に取得したもので、生前贈与加算又は相続時精算課税の規定の適用を受けるものに限る。）でその**特定非常災害発生日において所有していたもの**のうちに、その特定非常災害により特定地域内にある**特定土地等**又は**特定株式等**があるときは、その特定土地等又は特定株式等については、**相続税の課税価格に算入すべき価額**は、財産の評価の原則にかかわらず、その**特定非常災害の発生直後の価額**として一定の金額とすることができる。

⑵ **手　続**（措法69の6③）

⑴の規定は、**税務署長がやむを得ない事情があると認める場合を除き**、相続税の**期限内申告書**（**期限後申告書**及び**修正申告書**を含む。）又は**更正の請求書**にこの規定の適用を受けようとする旨の記載が**ある場合に限り、適用する。**

2 贈与税の課税価格の計算の特例 ✤✤

⑴ **適用要件**（措法69の7①）

個人が特定非常災害発生日の属する年の1月1日からその特定非常災害発生日の前日までの間に贈与により取得した財産でその特定非常災害発生日において所有していたもののうちに、特定土地等又は特定株式等がある場合には、その特定土地等又は特定株式等については、**贈与税の課税価格に算入すべき価額**は、財産の評価の原則にかかわらず、その**特定非常災害の発生直後の価額**として一定の金額とすることができる。

⑵ **手　続**（措法69の7②）

⑴の規定は、**税務署長がやむを得ない事情があると認める場合を除き**、贈与税の**期限内申告書**（**期限後申告書**及び**修正申告書**を含む。）又は**更正の請求書**にこの規定の適用を受けようとする旨の記載が**ある場合に限り、適用する。**

3 申告期限の特例 ✤

⑴ 相続税の申告期限の特例（措法69の８①）

同一の被相続人から相続又は遺贈により財産を取得した全ての者のうちに[1]の適用を受けることができる者がいる場合において、その相続若しくは遺贈により財産を取得した者又はその者の相続人（包括受遺者を含む。以下同じ。）が提出すべき**相続税の期限内申告書の提出期限が特定日**（特定非常災害のやんだ日から２月を経過する日と特定非常災害発生日の翌日から10月を経過する日とのいずれか遅い日。以下同じ。）**の前日以前であるとき**は、その提出期限は、**特定日**とする。

⑵ 贈与税の申告期限の特例（措法69の８③④）

特定非常災害発生日の属する年の１月１日から12月31日までの間に贈与により財産を取得した個人で[2]の適用を受けることができるもの又はその相続人が提出すべき**贈与税の期限内申告書の提出期限が特定日の前日以前である場合**には、その提出期限は、**特定日**とする。

出題年度：H20・H25・R６　他4回

国等に対して相続財産を贈与した場合等の相続税の非課税

1 国等に対して相続財産を贈与した場合 ✤✤✤

⑴ **相続税の非課税**（措法70①⑩）

相続又は遺贈により財産を取得した者が、その**取得した財産**を**期限内申告書の提出期限までに**国若しくは地方公共団体、特定の公益法人等又は認定特定非営利活動法人に**贈与をした場合**には、その贈与により贈与者又はその親族その他これらの者と特別の関係がある者の**相続税又は贈与税の負担が不当に減少する結果となると認められる場合を除き**、その贈与をした財産の価額は、**相続税の課税価格に算入しない。**

⑵ **非課税の取消し**（措法70②）

特定の公益法人等又は認定特定非営利活動法人で⑴の贈与を受けたものが、その贈与があった日から**２年を経過した日までに**特定の公益法人等若しくは認定特定非営利活動法人に**該当しないこととなった場合**又はその贈与により取得した財産を**同日においてなお**その**公益を目的とする事業の用に供していない場合**には、その財産の価額は、**相続税の課税価格に算入する。**

2 特定公益信託の信託財産とするために金銭を支出した場合 ✤✤

⑴ **相続税の非課税**（措法70③）

相続又は遺贈により財産を取得した者が、その**取得した財産に属する金銭**を**期限内申告書の提出期限までに**特定公益信託の信託財産とするために**支出した場合**には、その支出によりその支出をした者又はその親族その他これらの者と特別の関係がある者の**相続税又は贈与税の負担が不当に減少する結果となると認められる場合を除き**、その金銭の額は、**相続税の課税価格に算入しない。**

⑵ **非課税の取消し**（措法70④）

特定公益信託で⑴の金銭を受け入れたものがその受入れの日から**２年を経過した日までに**特定公益信託に**該当しないこととなった場合**には、その金銭の額は、**相続税の課税価格に算入する。**

3 手　続（措法70⑤⑩） ✤✤✤

[1]⑴又は[2]⑴の規定は、相続税の**期限内申告書**に、これらの規定の適用を受けようとする旨を記載し、かつ、贈与又は支出をした財産の明細書その他一定の書類を添付**しない場合には、適用しない。**

4 非課税の取消しに係る修正申告等 ✤✤

⑴ **修正申告**（措法70⑥⑩）

1⑴又は2⑴の適用を受けて相続税の**期限内申告書を提出した者**（その者の相続人及び包括受遺者を含む。）は、1**⑵又は**2**⑵に該当する場合**には、その**2年を経過した日の翌日から4月以内**に**修正申告書**を提出し、かつ、その期限内にその修正申告書の提出により納付すべき税額を**納付しなければならない**。

⑵ **期限後申告**（措法70⑦⑩）

1⑴又は2⑴の適用を受けた者は、1**⑵又は**2**⑵に該当することとなった**ことにより相続税の**期限内申告書を提出すべきこととなった場合**には、その**2年を経過した日の翌日から4月以内**に**期限後申告書**を提出し、かつ、その期限内にその期限後申告書の提出により納付すべき税額を**納付しなければならない**。

コラム @ランダム

【相続財産の寄附を受けた公益法人がその財産につき公益を目的とする事業の用に供しているかどうかが争われた事件】（大阪高裁 H13.11.1 判決）

《事案の概要》

この事案は、相続により取得したA社株式を公益法人Bに寄附をした納税者が措置法70条の非課税の適用を受けて申告を行っていたが、A社株式が無配であることから寄附のあった日から2年を経過した日においても、A社株式が公益を目的とする事業の用に供されているとは認められないとして、A社株式の相続開始時の価額およそ8億円を課税価格に算入して課税庁側が更正処分をしたものである。

なお、第一審判決（京都地裁H12.11.17判決）では、A社株式について完全な支配の移転があり、公益法人Bの基本財産に組み入れられている場合には、事業供用要件を充たしていると判断、納税者側が勝訴していた。

《判決の要旨》

第二審（大阪高裁）において「公益を目的とする事業の用に供していない場合」とは、租税回避行為のほか、その寄附財産をその性格に従って公益事業の用に供するために実際に使用収益処分していない場合と解釈すべきとし、これを本件においてみると、公益法人Bは寄附を受けた日から2年を経過した日までA社株式について配当を受けたことがないほか、これを使用収益処分したことがないものと認められると判断、A社株式の価額は、本件相続税の課税価格の計算の基礎に算入すべきであるとして、国側勝訴の逆転判決を言い渡した。

出題年度：H10・H16・H22

住宅取得等資金の贈与を受けた場合の贈与税の非課税

1 贈与税の非課税（措法70の２①）✤✤✤

令和６年１月１日から令和８年12月31日までの間にその**直系尊属**からの贈与により住宅取得等資金の取得をした**特定受贈者**が、住宅取得等資金の取得をした日の属する年の**翌年３月15日までに**その住宅取得等資金の全額を住宅用家屋の**新築**、**取得**若しくは**増改築等**（以下「新築等」という。）又はこれらとともにするその敷地の用に供されている土地若しくは土地の上に存する権利の取得のための対価に充てた場合において、**同日までにその住宅用家屋をその特定受贈者の居住の用に供したとき**又は**同日後遅滞なく居住の用に供することが確実であると見込まれるとき**は、その贈与により取得をした住宅取得等資金のうち**住宅資金非課税限度額**（既にこの規定の適用を受けた金額を控除した残額）までの金額については、**贈与税の課税価格に算入しない**。

2 住宅資金非課税限度額（措法70の２②六）✤

特定受贈者が住宅取得等資金を充てて新築等をした住宅用の家屋の次の区分に応じ、その特定受贈者ごとにそれぞれ次の金額をいう。

⑴ その住宅用の家屋が次に掲げる要件のいずれかを満たすものである場合
… 1,000万円

① その住宅用の家屋（新築をした住宅用の家屋又は取得をした建築後使用されたことのない住宅用の家屋に限る。）がエネルギーの使用の合理化に著しく資する住宅用の家屋として一定のものであること。

② その住宅用の家屋がエネルギーの使用の合理化に資する住宅用の家屋（①の家屋を除く。）、地震に対する安全性に係る基準に適合する住宅用の家屋又は高齢者等が自立した日常生活を営むのに必要な構造及び設備の基準に適合する住宅用の家屋として一定のものであること。

⑵ ⑴以外の住宅用の家屋である場合
… 500万円

3 手　続（措法70の２⑭⑮）✤✤✤

1の規定は、**税務署長がやむを得ない事情があると認める場合を除き**、贈与税の**期限内申告書**に、この規定の適用を受けようとする旨を記載し、この規定による計算の明細書その他の一定の書類の添付が**ある場合に限り**、**適用する**。

4 非課税の取消しに係る修正申告等（措法70の２④）✤✤

特定受贈者が贈与により住宅取得等資金の取得をした日の属する年の翌年３月15日後遅滞なく新築等をした住宅用家屋をその特定受贈者の居住の用に供することが確実であると見込まれることにより［1］の適用を受けた場合において、その住宅用家屋を**同年12月31日までに**その特定受贈者の**居住の用に供していなかったときは、**［1］**は適用しない。**

この場合において、その特定受贈者は、**同年12月31日から２月以内に、**［1］の適用を受けた年分の贈与税についての**修正申告書**を提出し、かつ、その期限内にその修正申告書の提出により納付すべき**税額を納付しなければならない。**

5 災害による滅失等があった場合の特例 ✤

(1) 贈与税の申告期限前に災害があった場合（措法70の２⑨⑪）

① ［1］の場合において、新築等をした住宅用家屋が**災害**（震災、風水害、火災その他一定の災害をいう。以下同じ。）**により滅失**（通常の修繕によっては原状回復が困難な損壊を含む。以下同じ。）をしたことにより、住宅取得等資金の取得をした日の属する年の**翌年３月15日までに**その**居住の用に供することができなくなったときであっても、**［1］**の適用を受けることができる。**

② ［1］の場合において、災害に基因するやむを得ない事情により住宅取得等資金の取得をした日の属する年の翌年３月15日までに**新築等ができなかったときであっても、同年の翌々年３月15日までに住宅用家屋を特定受贈者の居住の用に供したときは、**［1］**の適用を受けることができる。**

(2) 贈与税の申告期限後に災害があった場合（措法70の２⑧⑩）

① 特定受贈者が贈与により住宅取得等資金の取得をした日の属する年の翌年３月15日後遅滞なく新築等をした住宅用家屋をその特定受贈者の居住の用に供することが確実であると見込まれることにより［1］の適用を受けた場合において、その住宅用家屋が**災害により滅失**をしたことによってその**居住の用に供することができなくなったときは、**［4］**は適用しない。**

② ①の場合において、**災害に基因するやむを得ない事情**によりその住宅用家屋を住宅取得等資金の取得をした日の属する年の翌年12月31日までにその特定受贈者の**居住の用に供することができなかったときは、**その期限をその贈与により住宅取得等資金の取得をした日の属する年の**翌々年12月31日まで**とする。

　出題年度：H27・R4

教育資金の一括贈与を受けた場合の贈与税の非課税

1 贈与税の非課税 ✤✤✤

⑴ 適用要件（措法70の２の２①）

平成25年４月１日から**令和８年３月31日**までの間に、個人（教育資金管理契約締結日において**30歳未満の者**に限る。）が、その直系尊属と信託会社との間の教育資金管理契約に基づき**信託受益権を取得した場合**、その直系尊属からの書面による贈与により取得した金銭を教育資金管理契約に基づき銀行等の法施行地にある営業所等において**預金若しくは貯金として預入をした場合**又は教育資金管理契約に基づきその直系尊属からの書面による贈与により取得した金銭等で金融商品取引業者の営業所等において**有価証券を購入**（以下「預入等」という。）**した場合**には、その信託受益権、金銭又は金銭等の価額のうち**1,500万円**までの金額（既にこの規定の適用を受けた金額を控除した残額）に相当する部分の価額については、**贈与税の課税価格に算入しない。**

ただし、その個人のその信託受益権、金銭又は金銭等を取得した日の属する年の**前年分**の所得税に係る**合計所得金額が1,000万円を超える場合**は、**この限りでない**（以下2において同じ。）。

⑵ 手　続（措法70の２の２③⑦）

⑴の規定は、受贈者が**教育資金非課税申告書**をその教育資金非課税申告書に記載した**取扱金融機関の営業所等を経由**し、預入等をする日までに、その受贈者の**納税地の所轄税務署長に提出した場合に限り、適用する。**ただし、この申告書の提出に代えて、取扱金融機関の営業所等に対し、その申告書に記載すべき事項を電磁的方法により提供することができる。この場合において、その受贈者は、この申告書をその取扱金融機関の営業所等に提出したものとみなす（以下2において同じ。）。

2 追加信託（措法70の２の２④） ✤

受贈者（30歳未満の者に限る。）が既に教育資金非課税申告書を提出している場合（教育資金非課税申告書に記載された金額が1,500万円に満たない場合に限る。）において、その教育資金非課税申告書に係る教育資金管理契約に基づき、預入等したときは、その受贈者は、その信託受益権、金銭又は金銭等の価額について1の適用を受けようとする旨その他一定の事項を記載した申告書をその教育資金非課税申告書を提出した取扱金融機関の営業所等を経由し、新たに預入等する日までに、その受贈者の納税地の所轄税務署長に提出した場合に限り、1の適用を受けることができる。

3 領収書等の提出（措法70の2の2⑨）✤✤

1の適用を受ける受贈者は、次の区分に応じ次に定める日までに、教育資金の支払に充てた金銭に係る**領収書**その他の書類（電磁的記録を含む。）でその支払の事実を証するもの（以下「領収書等」という。）を**取扱金融機関の営業所等に提出又は提供をしなければならない。**

⑴ 教育資金の支払に充てた金銭に相当する額を払い出す方法により専ら払出しを受ける場合

…領収書等に記載された支払年月日から**1年を経過する日**

⑵ ⑴以外の場合

…領収書等に記載された支払年月日の属する年の**翌年3月15日**

4 贈与者が死亡した場合（措法70の2の2⑫⑬）✤✤✤

贈与者が1の適用に係る教育資金管理契約に基づき信託又は贈与をした日からこれらの教育資金管理契約の終了の日までの間にその**贈与者が死亡した場合**には、次に定めるところによる。

⑴ その贈与者に係る受贈者は、その贈与者が死亡した事実を知った場合には、速やかに、その**贈与者が死亡した旨**を**取扱金融機関の営業所等に届け出なければならない**。この場合において、その届出を受けた**取扱金融機関の営業所等**は、その贈与者が死亡した日及び同日における**非課税拠出額から教育資金支出額**（学校等以外に支払われる教育資金については500万円を限度とする。以下同じ。）**を控除した残額**として一定の金額（以下「管理残額」という。）**を記録**しなければならない。

⑵ その贈与者に係る受贈者については、管理残額をその贈与者から**相続**（その受贈者がその贈与者の相続人以外の者である場合には、遺贈。以下5⑵①において同じ。）**により取得したものとみなす。**

⑶ その贈与者から相続又は遺贈により**管理残額以外の財産を取得しなかった**受贈者については、**生前贈与加算の規定は適用しない**。

⑷ ⑵及び⑶の規定は、その贈与者の死亡の日において受贈者が次に該当する場合（②又は③に該当する場合には、その受贈者がその旨を明らかにする書類（電磁的記録を含む。）を⑴の届出と併せて提出又は提供をした場合に限る。）には、**適用しない**。ただし、その**贈与者から相続又は遺贈**（その贈与者からの贈与により取得した財産で相続時精算課税の規定の適用を受けるものに係る贈与を含む。）**により財産を取得した全ての者に係る**⑵の適用がないものとした場合における**相続税の課税価格の合計額が5億円を超えるときは、この限りでない。**

① **23歳未満**である場合

② **学校等**に在学している場合

③ **教育訓練**を受けている場合

5 教育資金管理契約の終了（措法70の２の２⑭⑮⑯）✤✤✤

⑴ 終了事由

教育資金管理契約は、次の区分に応じ次に定める日のいずれか早い日に終了するものとする。

① 受贈者が30歳に達したこと（その受贈者が30歳に達した日において学校等に在学している場合又は教育訓練を受けている場合（その受贈者がこれらの場合に該当することについて取扱金融機関の営業所等に届け出た場合に限る。）を除く。）…その受贈者が**30歳に達した日**

② 受贈者（30歳以上の者に限る。以下③において同じ。）がその年中のいずれかの日において学校等に在学した日又は教育訓練を受けた日があることを取扱金融機関の営業所等に届け出なかったこと…**その年の12月31日**

③ 受贈者が40歳に達したこと…その受贈者が**40歳に達した日**

④ 受贈者が死亡したこと…その受贈者が**死亡した日**

⑤ 教育資金管理契約に係る信託財産の価額、預金若しくは貯金の額又は保管されている有価証券の価額が**零となった場合**において受贈者と取扱金融機関との間でこれらの教育資金管理契約を終了させる合意があったこと…その教育資金管理契約がその**合意に基づき終了する日**

⑵ 終了時の課税関係

① 課　税

⑴の事由（④の事由を除く。）に該当したことにより教育資金管理契約が終了した場合において、その教育資金管理契約に係る**非課税拠出額から教育資金支出額**（贈与者の死亡により相続により取得したものとみなされた管理残額を含む。以下同じ。）**を控除した残額があるとき**は、次に定めるところによる。

イ その**残額について**は、その**教育資金管理契約に係る受贈者の⑴**（④の事由を除く。）**に定める日の属する年の贈与税の課税価格に算入**する。

ロ 直系尊属から贈与を受けた場合の贈与税の税率の特例の規定の適用については、**その残額は、一般贈与財産とみなす**。

② 非課税

⑴④の事由に該当したことにより教育資金管理契約が終了した場合には、その教育資金管理契約に係る**非課税拠出額から教育資金支出額を控除した残額**については、**贈与税の課税価格に算入しない**。

出題年度：なし

結婚・子育て資金の一括贈与を受けた場合の贈与税の非課税

1 贈与税の非課税 ✤✤✤

⑴ **適用要件**（措法70の２の３①）

平成27年４月１日から**令和７年３月31日**までの間に、個人(結婚・子育て資金管理契約締結日において**18歳以上50歳未満の者**に限る。)が、その直系尊属と信託会社との間の結婚・子育て資金管理契約に基づき**信託受益権を取得した場合**、その直系尊属からの書面による贈与により取得した金銭を結婚・子育て資金管理契約に基づき銀行等の法施行地にある営業所等において**預金若しくは貯金として預入をした場合**又は結婚・子育て資金管理契約に基づきその直系尊属からの書面による贈与により取得した金銭等で金融商品取引業者の営業所等において**有価証券を購入**(以下「預入等」という。)**した場合**には、その信託受益権、金銭又は金銭等の価額のうち**1,000万円**までの金額(既にこの規定の適用を受けた金額を控除した残額)に相当する部分の価額については、**贈与税の課税価格に算入しない**。

ただし、その個人のその信託受益権、金銭又は金銭等を取得した日の属する年の**前年分**の所得税に係る**合計所得金額が1,000万円を超える場合**は、**この限りでない**(以下[2]において同じ。)。

⑵ **手　続**（措法70の２の３③⑦）

⑴の規定は、受贈者が**結婚・子育て資金非課税申告書**をその結婚・子育て資金非課税申告書に記載した**取扱金融機関の営業所等を経由**し、預入等をする日までに、その受贈者の**納税地の所轄税務署長に提出した場合に限り、適用する**。ただし、この申告書の提出に代えて、取扱金融機関の営業所等に対し、その申告書に記載すべき事項を電磁的方法により提供することができる。この場合において、その受贈者は、この申告書をその取扱金融機関の営業所等に提出したものとみなす（以下[2]において同じ。)。

2 追加信託（措法70の２の３④）✤

受贈者が既に結婚・子育て資金非課税申告書を提出している場合（結婚・子育て資金非課税申告書に記載された金額が1,000万円に満たない場合に限る。）において、その結婚・子育て資金非課税申告書に係る結婚・子育て資金管理契約に基づき、預入等したときは、その受贈者は、その信託受益権、金銭又は金銭等の価額について[1]の適用を受けようとする旨その他一定の事項を記載した申告書をその結婚・子育て資金非課税申告書を提出した取扱金融機関の営業所等を経由し、新たに預入等する日までに、その受贈者の納税地の所轄税務署長に提出した場合に限り、[1]の適用を受けることができる。

3 領収書等の提出（措法70の２の３⑨）✤✤

[1]の適用を受ける受贈者は、次の区分に応じ次に定める日までに、結婚・子育て資金の支払に充てた金銭に係る**領収書**その他の書類でその支払の事実を証するもの（以下「領収書等」という。）を**取扱金融機関の営業所等に提出しなければならない。**

⑴　結婚・子育て資金の支払に充てた金銭に相当する額を払い出す方法により専ら払出しを受ける場合

…領収書等に記載された支払年月日から**１年を経過する日**

⑵　⑴以外の場合

…領収書等に記載された支払年月日の属する年の**翌年３月15日**

4 贈与者が死亡した場合（措法70の２の３⑫）✤✤✤

贈与者が[1]の適用に係る結婚・子育て資金管理契約に基づき信託又は贈与をした日からこれらの結婚・子育て資金管理契約の終了の日までの間に、その**贈与者が死亡した場合**には、次に定めるところによる。

⑴　その贈与者に係る受贈者は、その贈与者が死亡した事実を知った場合には、速やかに、その**贈与者が死亡した旨**を**取扱金融機関の営業所等に届け出なければならない。**

⑵　その贈与者に係る受贈者については、その贈与者が死亡した日における**非課税拠出額から結婚・子育て資金支出額**（結婚に際して支出する資金については300万円を限度とする。以下同じ。）**を控除した残額**として一定の金額（以下「管理残額」という。）をその贈与者から**相続**（その受贈者がその贈与者の相続人以外の者である場合には、遺贈。以下[5]⑵①において同じ。）**により取得したものとみなす。**

⑶　その贈与者から相続又は遺贈により**管理残額以外の財産を取得しなかった**受贈者については、**生前贈与加算の規定は適用しない。**

5 結婚・子育て資金管理契約の終了（措法70の２の３⑬⑭⑮）✤✤✤

(1) 終了事由

結婚・子育て資金管理契約は、次の区分に応じ次に定める日のいずれか早い日に終了するものとする。

① 受贈者が50歳に達したこと
…その受贈者が**50歳に達した日**

② 受贈者が死亡したこと
…その受贈者が**死亡した日**

③ 結婚・子育て資金管理契約に係る信託財産の価額、預金若しくは貯金の額又は保管されている有価証券の価額が**零となった場合**において受贈者と取扱金融機関との間でこれらの結婚・子育て資金管理契約を終了させる合意があったこと
…その結婚・子育て資金管理契約がその**合意に基づき終了する日**

(2) 終了時の課税関係

① 課　税

(1)①又は③の事由に該当したことにより結婚・子育て資金管理契約が終了した場合において、その結婚・子育て資金管理契約に係る**非課税拠出額から結婚・子育て資金支出額**（贈与者の死亡により相続により取得したものとみなされた管理残額を含む。以下同じ。）**を控除した残額があるとき**は、次に定めるところによる。

イ　その**残額について**は、その**結婚・子育て資金管理契約に係る受贈者の(1)①又は③に定める日の属する年の贈与税の課税価格に算入**する。

ロ　直系尊属から贈与を受けた場合の贈与税の税率の特例の規定の適用については、**その残額は、一般贈与財産とみなす。**

② 非課税

(1)②の事由に該当したことにより結婚・子育て資金管理契約が終了した場合には、その結婚・子育て資金管理契約に係る**非課税拠出額から結婚・子育て資金支出額を控除した残額**については、**贈与税の課税価格に算入しない。**

4-1 税額計算　出題年度：S62・H2・H15

遺産に係る基礎控除、相続税の総額、各相続人等の相続税額

1 遺産に係る基礎控除（法15①、21の14）✤✤

相続税の総額を計算する場合においては、同一の被相続人から相続又は遺贈により財産を取得した**全ての者に係る相続税の課税価格**（生前贈与加算及び相続時精算課税適用財産の価額を加算した後の相続税の課税価格とみなされた金額。以下同じ。）**の合計額**から、次の金額を控除する。

遺産に係る基礎控除額＝**3,000万円＋600万円×法定相続人の数**

2 相続税の総額（法16）✤✤

相続税の総額は、同一の被相続人から相続又は遺贈により財産を取得した**全ての者に係る相続税の課税価格の合計額**からその**遺産に係る基礎控除額を控除した残額**をその被相続人の[4]の**法定相続人の数に応じた相続人**が**相続分及び代襲相続分に応じて取得したものとした場合**におけるその**各取得金額**（その相続人が、1人である場合又はない場合には、その控除した残額）につきそれぞれ**超過累進税率**を乗じて計算した金額を**合計した金額**とする。

3 各相続人等の相続税額（法17）✤

相続又は遺贈により財産を取得した者に係る相続税額は、その被相続人から相続又は遺贈により**財産を取得した全ての者に係る相続税の総額**に、それぞれこれらの事由により財産を取得した者に係る相続税の課税価格がその財産を取得した**全ての者に係る課税価格の合計額のうちに占める割合**を乗じて算出した金額とする。

4　法定相続人の数 ✤✤✤

⑴　法定相続人の数（法15②）

被相続人の法定相続人の数（その被相続人に養子がある場合の法定相続人の数に算入する養子の数は、次の区分に応じそれぞれに定める養子の数に限るものとし、相続の放棄があった場合には、その放棄がなかったものとした場合における相続人の数とする。）とする。

①　その被相続人に**実子がある**場合又はその被相続人に実子がなく、**養子の数が１人である**場合‥‥**１人**

②　その被相続人に実子がなく、**養子の数が２人以上である**場合‥‥**２人**

⑵　実子とみなされる者（法15③）

⑴の適用については、次の者は**実子とみなす**。

①　民法に規定する**特別養子縁組**による養子となった者、その被相続人の**配偶者の実子**でその被相続人の養子となった者その他これらに準ずる者

②　**実子**若しくは**養子**又はその**直系卑属**が**相続開始以前に死亡**し、又は**相続権を失った**ため法定相続人となった**その者の直系卑属**

⑶　養子の数の否認（法63）

⑴に定める養子の数を法定相続人の数に算入することが、**相続税の負担を不当に減少させる結果となると認められる場合**においては、税務署長は、相続税の更正又は決定に際し、税務署長の認めるところにより、その養子の数を**法定相続人の数に算入しない**で相続税の課税価格及び相続税額を計算することができる。

出題年度：S46・H15・R2

相続税額の加算

1 相続税の加算額 ✤✤

⑴ **適用要件**（法18①）

相続又は遺贈により財産を取得した者が**被相続人の一親等の血族**（代襲して相続人となったその被相続人の直系卑属を含む。）及び**配偶者以外の者である場合**においては、その者に係る相続税額は、算出相続税額にその$\frac{20}{100}$に相当する金額を加算した金額とする。

⑵ **一親等の血族の範囲**（法18②）

⑴の一親等の血族には、被相続人の**直系卑属**がその被相続人の養子となっている場合を含まない。ただし、その被相続人の直系卑属が代襲して相続人となっている場合は、この限りでない。

2 加算対象外の相続税額（法21の15②、21の16②、令５の２の２）✤

相続時精算課税適用者に対する 1 の適用については、その者が贈与により財産を取得した時において**被相続人の一親等の血族であった場合**には、その被相続人から取得したその財産に対応する相続税額として次の金額については、**この限りでない。**

$$\text{算出相続税額} \times \frac{\text{一親等の血族であった期間内に特定贈与者から取得した財産の価額} - \text{基礎控除額}}{\text{相続税の課税価格}^{※}\text{の合計額}}$$

※ 生前贈与加算及び相続時精算課税適用財産の価額を加算した後の相続税の課税価格とみなされた金額。

コラム @ランダム

【大増税時代の到来、養子縁組による節税対策も風前の灯か】

「増税」というフレーズで最も身近に感じるのは消費税かもしれませんが、「相続税の大増税時代」も平成27年1月1日からスタートし、平成27年に申告した相続人の数は前年と比べ1.75倍に増加しました。

周知のとおり、相続税の基礎控除額は現行の60%にまで引き下げられ、納税者の数はこれまでの1.5倍以上になると試算されています。もう少し具体的に言いますと、東京などの大都市圏に自宅を持ち、上場会社の部長クラスであれば、これまで縁のなかったサラリーマン家族でさえ、将来相続税を納める義務を負う可能性が高いのです。

なお、平成25年度の改正で相続税の基礎控除が大きく引き下げられた趣旨については、財務省のHPで以下のような説明がなされています。

相続税の基礎控除は、昭和63年以降、主にバブル期の地価高騰を背景に累次にわたり引き上げられてきました。その後地価が下落し、バブル期以前の水準に戻ったにもかかわらず、基礎控除の水準が据え置かれたままになっているため、相続税の負担はバブル期以前の水準に比べ大幅に軽減されていました。その結果、バブル期はもちろんバブル期以前に比べても課税割合（課税件数）や負担割合（納税者の負担水準）が低下しており、相続税の有する資産の再分配機能は低下している状況が続いていました。

こうした状況を踏まえ、平成25年度税制改正においては、相続税の再分配機能の回復、格差の固定化の防止等の観点から、相続税の基礎控除の引き下げが行われました。なお、引き下げ後の基礎控除の水準については、物価・地価が現在と同等であった昭和50年代後半の水準を参考に、この時期に適用されていた水準まで引き下げることとし、具体的には、昭和50年から62年まで適用されていた水準（定額部分2,000万円、比例部分400万円）を当時からの物価・地価の変化率で現在価値に修正し、定額部分3,000万円、比例部分600万円とされました。

さて、基礎控除引き下げ後においてもまだ節税方法として有効なのが養子縁組です。現行において、基礎控除額の計算における比例部分については、改正前と同様法定相続人の数に養子を１人（又は２人）まで加えることができます。サラリーマン一家にとって 600 万円（又は 1,200 万円）もの基礎控除額が増えることは大きな節税になるでしょうから、将来、養子のいるサラリーマン家族が増えるなんてこともあるかもしれません。しかし、養子を利用した節税方法は、これまで法改正により封じられてきた経緯があります。

例えば、上記に示した養子の数の制限も、昭和63年度の税制改正により加わったもので、それまでは極端な話、10人以上と養子縁組をしたり、相続の前日に養子縁組届を役所に出すなど行き過ぎた節税が横行していました。また、孫に財産を遺贈し、相続の課税回数を減らすと同時にその孫と養子縁組をして２割加算も避けるという、よくあった節税方法も平成15年度の税制改正により封じられ、現行において孫養子は２割加算対象者となっています。

このように行き過ぎた節税は、遅かれ早かれ法改正により封じられてしまうという運命にあるのです。

出題年度：H25・R4・R6　他8回

生前贈与加算及び贈与税額控除

1 生前贈与加算（法19①、21の15②、21の16②）✤✤✤

相続又は遺贈により財産を取得した者がその**相続開始前７年以内**にその被相続人から贈与により財産を取得したことがある場合においては、その者については、その贈与により取得した財産（贈与税の課税価格計算の基礎に算入されるもの（**特定贈与財産**及び**相続時精算課税適用財産**を除く。）に限る。以下同じ。以下「加算対象贈与財産」いう。）の価額（加算対象贈与財産のうちその相続の開始前３年以内に取得した財産以外の財産にあっては、その財産の価額の合計額から100万円を控除した残額）を**相続税の課税価格に加算した価額**を**相続税の課税価格とみなす**。

2 贈与税額控除（法19①、令4①、5の4）✤✤✤

1 の場合において、加算対象贈与財産の取得につき**課せられた贈与税があるとき**は、算出相続税額（相続税額の加算までの規定を適用して計算した金額。）から次の金額を控除した金額をもって、その**納付すべき相続税額**とする。

$$A \times \frac{C}{B}$$

A：その取得の日の属する年分の贈与税額（贈与税の**外国税額控除前**の税額とし、附帯税及び相続時精算課税に係る贈与税額を除く。）

B：その年分の贈与税の課税価格（その財産のうち相続の開始前３年以内に取得した財産以外の財産にあっては、その財産の価額の合計額から100万円を控除する前のその財産の価額及び相続時精算課税に係る課税価格を除く。）に算入された財産の価額の合計額

C：1 により相続税の課税価格に**加算された金額**

3 特定贈与財産（法19②、令4②）✤✤

特定贈与財産とは、贈与税の配偶者控除に規定する**婚姻期間が20年以上**である配偶者に該当する被相続人からの贈与によりその被相続人の配偶者が取得した**居住用不動産**又は**金銭**で次の場合に該当するもののうち、次の区分に応じ、それぞれに定める部分をいう。

⑴ その贈与がその**相続の開始の年の前年以前**にされた場合で、その被相続人の配偶者がその贈与による取得の日の属する年分の贈与税につき**贈与税の配偶者控除の規定の適用を受けている**とき。

　贈与税の配偶者控除の規定により**控除された金額**に相当する部分

⑵ その贈与がその**相続の開始の年**においてされた場合で、その被相続人の配偶者がその被相続人からの贈与について**既に贈与税の配偶者控除の規定の適用を受けた者でないとき**（その被相続人の配偶者が相続税の期限内申告書（期限後申告書及び修正申告書を含む。）又は更正請求書に居住用不動産又は金銭につきこれらの財産の価額を**贈与税の課税価格に算入する旨**等を記載し、一定の書類を添付して、これを提出した場合に限る。）。

　贈与税の配偶者控除の規定の適用があるものとした場合に、**控除されることとなる金額**に相当する部分

4-4 税額計算　　出題年度：H9・H14・H21　他5回

配偶者に対する相続税額の軽減

1　相続税の軽減額（法19の２①、21の14）✤✤✤

被相続人の配偶者がその被相続人からの相続又は遺贈により財産を取得した場合には、その配偶者については、次の⑴の金額から⑵の金額を控除した**残額があるときは**、その**残額をもってその納付すべき相続税額**とし、⑴の金額が⑵の金額**以下であるとき**は、その**納付すべき相続税額は、ない**ものとする。

⑴　その配偶者に係る**算出相続税額**（贈与税額控除までの規定を適用して計算した金額。）

⑵　$\dfrac{\text{相続税の総額×次の①と②の金額のうちいずれか少ない金額}}{\text{相続税の課税価格}^{※}\text{の合計額}}$

※　生前贈与加算及び相続時精算課税適用財産の価額を加算した後の相続税の課税価格とみなされた金額。以下同じ。

①　相続税の課税価格の合計額にその**配偶者の法定相続分**を乗じて得た金額に相当する金額（１億6,000万円に満たない場合には、**１億6,000万円**）

②　その配偶者に係る**相続税の課税価格**に相当する金額

2　未分割である場合（法19の２②）✤✤

相続税の期限内申告書の提出期限（以下「申告期限」という。）までに、その相続又は遺贈により取得した財産の全部又は一部が共同相続人又は包括受遺者によってまだ**分割されていない場合**における1の適用については、その分割されていない財産は、1⑵②の**課税価格の計算の基礎とされる財産に含まれない**。

ただし、その分割されていない財産が**申告期限から３年以内**（その期間内にその財産が分割されなかったことにつき、やむを得ない事情がある場合において、納税地の所轄税務署長の承認を受けたときは、その財産の分割ができることとなった日の翌日から４月以内）に**分割された場合**には、その分割された財産については、**この限りでない**。

3　手　続（法19の２③④）✤✤✤

1の規定は、**税務署長がやむを得ない事情があると認める場合を除き**、相続税の**期限内申告書**（**期限後申告書**及び**修正申告書**を含む。以下同じ。）又は**更正請求書**に、この規定の適用を受ける旨及び金額の計算に関する明細を記載し、かつ、財産の取得の状況を証する書類等を添付して、その申告書を提出した**場合に限り**、**適用する**。

4 隠ぺい仮装行為があった場合（法19の２⑤）✤

相続又は遺贈により財産を取得した者が、**隠ぺい仮装行為に基づき**、相続税の期限内申告書を提出しており、又はこれを提出していなかった場合において、その相続税についての**調査があった**ことにより更正又は決定があるべきことを予知して**期限後申告書又は修正申告書を提出するとき**は、その期限後申告書又は修正申告書に係る相続税額に係る［1］の適用については、次の算式による。

$$\frac{\text{相続税の総額}^{※1}\times\boxed{1}(2)①と②の金額^{※2}のうちいずれか少ない金額}{\text{相続税の課税価格の合計額}^{※1}}$$

※１　**配偶者が隠ぺい仮装した**財産に係るものを**除く**。

※２　**配偶者が取得した**隠ぺい仮装財産を**除く**。

出題年度：S62・H6・H13 他3回

未成年者控除

1 未成年者控除額（法19の3①）✤✤

(1) **適用要件**

相続又は遺贈により財産を取得した者（**居住制限納税義務者**又は**非居住制限納税義務者を除く。**）が被相続人の**法定相続人**に該当し、かつ、**18歳未満**の者である場合においては、その者については、算出相続税額（配偶者の税額軽減までの規定を適用して計算した金額。以下同じ。）から次の金額を控除した金額をもって、その**納付すべき相続税額**とする。

(2) **控除額**

10万円×その者が**18歳**に達するまでの年数（**1年未満切上**）

2 扶養義務者からの控除（法19の3②）✤

控除を受けることができる金額が**算出相続税額を超える場合**においては、その超える部分の金額は、その控除を受ける者の**扶養義務者の算出相続税額から控除**し、その控除後の金額をもって、その扶養義務者の納付すべき相続税額とする。

3 既控除者の控除限度額（法19の3③）✤

1に該当する者がその者又はその扶養義務者について**既に未成年者控除を受けたことがある者である場合**においては、その者又はその扶養義務者が控除を受けることができる金額は、次の金額の範囲内に限る。

10万円×（18歳－**最初の**相続開始時の年齢）－**既控除額**

4-6 税額計算

障害者控除

1 障害者控除額（法19の４①、21の16②）✤✤

⑴ **適用要件**

相続又は遺贈により財産を取得した者（**非居住無制限納税義務者、居住制限納税義務者、非居住制限納税義務者**及び相続開始の時において**法施行地に住所を有しない特定納税義務者を除く。**）が被相続人の**法定相続人**に該当し、かつ、**障害者**である場合には、その者については、算出相続税額（未成年者控除までの規定を適用して計算した金額。以下同じ。）から次の金額を控除した金額をもって、その**納付すべき相続税額**とする。

⑵ **控除額**

（**10万円**（特別障害者である場合には**20万円**））× その者が**85歳**に達するまでの年数（**１年未満切上**）

2 扶養義務者からの控除（法19の４③）✤

控除を受けることができる金額が**算出相続税額を超える場合**においては、その超える部分の金額は、その控除を受ける者の**扶養義務者の算出相続税額から控除**し、その控除後の金額をもって、その扶養義務者の納付すべき相続税額とする。

3 既控除者の控除限度額（法19の４③）✤

1 に該当する者がその者又はその扶養義務者について**既に障害者控除を受けたことがある者である場合**においては、その者又はその扶養義務者が控除を受けることができる金額は、次の金額の範囲内に限る。

⑴ 障害の程度に変化がない場合

（**10万円**（特別障害者である場合には**20万円**））×（85歳－**最初の**相続開始時の年齢）－**既控除額**

⑵ 障害の程度に変化がある場合

一定の金額

4 障害者の意義（法19の４②）✤

障害者とは、精神上の障害により事理を弁識する能力を欠く常況にある者、失明者その他の精神又は身体に障害がある者で一定のものをいい、特別障害者とは、障害者のうち精神又は身体に重度の障害がある者で一定のものをいう。

相次相続控除

1 相次相続控除額（法20、21の15②）✤✤

(1) 適用要件

相続（被相続人からの**相続人に対する遺贈を含む**。以下同じ。）により財産を取得した場合において、その相続（以下「第２次相続」という。）に係る被相続人が**第２次相続の開始前10年以内に開始した相続**（以下「第１次相続」という。）により財産（相続時精算課税適用財産を含む。以下(2)において同じ。）を取得したことがあるときは、その被相続人から**相続により財産を取得した者**については、算出相続税額（障害者控除までの規定を適用して計算した金額。）から次の金額を控除した金額をもって、その**納付すべき相続税額**とする。

(2) 控除額

$$A\times\frac{C}{B-A}\left[\text{この割合が}\frac{100}{100}\text{を超える場合には、}\frac{100}{100}\right]\times\frac{D}{C}\times\frac{10-E}{10}$$

A：第２次相続に係る被相続人が第１次相続により取得した財産につき課せられた相続税額(附帯税を除く。)

B：第２次相続に係る被相続人が第１次相続により取得した財産の価額(**債務控除後の金額**。以下同じ。)

C：第２次相続に係る被相続人から相続又は遺贈(被相続人からの相続人に対する遺贈を除く。）により財産を取得した全ての者がこれらの事由により取得した財産の価額の合計額

D：第２次相続に係る被相続人から相続により取得した財産の価額

E：第１次相続開始の時から第２次相続開始の時までの期間に相当する年数(**1年未満切捨**)

出題年度：S49・H6・H13

在外財産に対する相続税額及び贈与税額の控除

1 相続税の外国税額控除額（法20の２、令５の４②）✤✤

⑴ 適用要件

相続又は遺贈（相続又は遺贈により財産を取得した者が**相続開始の年**においてその相続に係る**被相続人から受けた贈与を含む。**）により**法施行地外にある財産**（相続時精算課税適用財産を含む。以下同じ。）を取得した場合において、その財産についてその地の法令により**相続税に相当する税が課せられたとき**は、その財産を取得した者については、算出相続税額（相次相続控除までの規定を適用して計算した金額。以下同じ。）から次の金額を控除した金額をもって、その**納付すべき相続税額**とする。

⑵ 控除額

次の①と②の金額のうちいずれか少ない金額

① 外国で課せられた税額

② 算出相続税額×$\dfrac{\text{法施行地外にある財産の価額}}{\text{相続税の課税価格に算入された財産の価額}}$

2 贈与税の外国税額控除額（法21の８）✤✤

⑴ 適用要件

贈与により**法施行地外にある財産**を取得した場合において、その財産についてその地の法令により**贈与税に相当する税が課せられたとき**は、その財産を取得した者については、算出贈与税額から次の金額を控除した残額をもって、その**納付すべき贈与税額**とする。

⑵ 控除額

次の①と②の金額のうちいずれか少ない金額

① 外国で課せられた税額

② 算出贈与税額×$\dfrac{\text{法施行地外にある財産の価額}}{\text{贈与税の課税価格に算入された財産の価額}}$

贈与税の配偶者控除

1　贈与税の配偶者控除額（法21の６①）✤✤✤

その年において贈与によりその者との**婚姻期間が20年以上**である配偶者から**居住用不動産**又は**金銭**を取得した者（その年の前年以前のいずれかの年において贈与によりその配偶者から取得した財産に係る贈与税につきこの規定の適用を受けた者を除く。）が、その取得の日の属する年の**翌年３月15日までに**その居住用不動産を**その者の居住の用**に供し、かつ、その後**引き続き居住の用に供する見込み**である場合又は**同日までに**その金銭をもって居住用不動産を取得して、これを**その者の居住の用**に供し、かつ、その後**引き続き居住の用に供する見込み**である場合においては、その年分の贈与税については、課税価格から**2,000万円**（その居住用不動産の価額に相当する金額とその金銭のうち居住用不動産の取得に充てられた部分の金額との合計額が2,000万円に満たない場合には、その合計額）を**控除する**。

2　婚姻期間の判定（令４の６）✤

贈与者が婚姻期間が20年以上である配偶者に該当するかどうかの判定は、**財産の贈与の時の現況**による。

3　手　続（法21の６②③）✤✤

1の規定は、**税務署長がやむを得ない事情があると認める場合を除き**、贈与税の**期限内申告書**（**期限後申告書**及び**修正申告書**を含む。）又は**更正請求書**に、控除を受ける金額その他その控除に関する事項及びその控除を受けようとする年の前年以前の各年分の贈与税につきこの規定の適用を受けていない旨の記載があり、かつ、婚姻期間が20年以上である旨を証する書類その他の一定の書類の添付がある**場合に限り**、**適用する**。

〈①理論学習法〉
～暗記のスタイルを確立しよう～

理論を覚えるには、「読む・書く・聞く」といった3つの方法があります。

このうちどの方法が効果的かは、人によって異なるため1つの方法だけを繰り返すよりもそれぞれの方法を試したり、組み合わせたりして、自分にとって最適な方法を試行錯誤することが必要です。そうしていくうちに、理論の暗記方法について自分のスタイルが確立されていきます。

大枠を捉えることから始めよう！

まずは、各理論の『柱』と呼んでいるメインタイトルから覚えていきます。例えば、左ページの4－9「贈与税の配偶者控除」の場合には、[1] [2] [3]の3つの柱とそのタイトルを覚えます。

次に、各柱の内容を覚えていきますが、各柱の優先マーク✤の数が多いものから順に覚えていきましょう。したがって、[1]→[3]→[2]となります。また、文章内のカッコ書き部分については、ひとまず飛ばして理論の骨組みとなる部分を先に覚えていき、そのあとにカッコ書きを追加して覚えていくとより効率的に暗記が進みます。

必ず1度は書いてみよう！

自分の暗記方法を確立するにあたり、注意しておきたいのが、暗記する理論は1度書いてみるということです。本試験では、覚えた理論の文章を書いていかなくてはなりません。

多くの受験生が理論を暗記するにあたり「読む」を中心に覚えていきますが、音だけで覚えようとしてしまうと、急に漢字が出てこなくなったり、勘違いしたまま覚えていたということもよくあります。そこで、覚えたものを客観的に見る機会を設けて、正確に覚えられているのかを確認する必要があるのです。また、実際に書くことで、その書くスピードを磨くことができます。

書く時間を把握しよう！

理論問題の解き方としては、まず、問題文をよく読み解答要求事項を把握したら、解答に必要な規定の数を挙げます。ここで時間配分を考え、詳細に書き切るだけの時間があれば詳細に書き、そうでなければ時間内に全ての規定が書けるように各規定を要約する必要もあります。

1つの規定に対する解答時間を把握できていれば、解答すべき規定の数に応じてどこまで書けばよいのかも判断できます。したがって、時間を意識しながら書くことが重要なのです。

本試験で配布される理論の答案用紙1枚あたり、10分程度が合格するために必要なスピードです。そのためには、字はあまり大き過ぎず、筆圧を抑えて滑るように書き進めていく方がよいでしょう。

読みやすい字の方が良いに越したことはありませんが、多少字が乱れても全く読めない字でない限り、採点はしてもらえるので安心して下さい。

〈②理論学習法〉☞ P103

4-10 税額計算

出題年度：なし

直系尊属から贈与を受けた場合の贈与税の税率の特例

1 適用要件（措法70の２の５①）✤

平成27年１月１日以後に**直系尊属**からの贈与により財産を取得した者（その年１月１日において**18歳以上**の者に限る。）のその年中のその財産に係る贈与税の額は、贈与税の一般税率の規定にかかわらず、贈与税の基礎控除後の課税価格に特例税率を乗じて計算した金額とする。

2 適用除外（措法70の２の５②）✤

その年１月１日において18歳以上の者が、贈与により財産を取得した場合において、その年の中途において贈与をした者の直系卑属となったときは、**直系卑属となった時前**にその贈与をした者からの贈与により取得した財産については、1の適用はないものとする。

3 贈与税額の計算（措法70の２の５③）✤

1の適用を受ける財産（以下「特例贈与財産」という。）を取得した者がその年中に贈与により1の適用を受けない財産（以下「一般贈与財産」という。）を取得した場合における贈与税の額は、次に掲げる金額を合計した金額とする。

⑴ 特例贈与財産に対応する金額

Aについて特例税率を用いて計算した贈与税額$\times\frac{B}{D}$

⑵ 一般贈与財産に対応する金額

Aについて一般税率を用いて計算した贈与税額$\times\frac{C}{D}$

A：贈与税の**基礎控除**及び**贈与税の配偶者控除後**の課税価格

B：特例贈与財産の価額

C：一般贈与財産の価額（**贈与税の配偶者控除後**の価額）

D：合計贈与価額（贈与税の課税価格の計算の基礎に算入されるものに限り、**贈与税の配偶者控除後**の価額）

4 手　続（措法70の２の５④）✤

1又は3の適用を受ける者は、贈与税の**期限内申告書**（期限後申告書及び修正申告書を含む。）又は更正請求書にこれらの規定の適用を受ける旨を記載し、これらの規定による計算の明細書その他の**一定の書類を添付しなければならない**。

コラム @ランダム

【相続税の課税見直し×贈与税の緩和＝日本経済の活性化】

わが国の家計資産の多くを高齢者が保有している状況は、近年、特に進んできており、平成元年時点では、約3割であった高齢者世帯（世帯主が60歳以上の家計）が保有する金融資産の全家計の金融資産に占める割合は、平成21年では約6割に上昇しています。これは金融資産に限らず、資産総額でみても同様であり、資産の多くを高齢者が保有している状況にあります。

このような状況に加えて、近年では高齢化の進展により、90歳以上の親の財産を60歳以上の子が相続するといういわゆる「老老相続」といった現象も増加しています。このように被相続人の高齢化が若年世代への資産移転を困難にしている面があります。

こうしたことから、平成23年度税制改正大綱においては「相続税について、課税ベースの拡大・税率構造の見直しを図れば、死亡時点まで資産を保有することに伴う税負担が高まるため、そのこと自体によっても生前贈与を促す効果があります。こうした相続税の負担の適正化と併せて贈与税を緩和すれば、生前贈与はより一層促進されることになります。こうした観点から、子や孫等が受贈者となる場合の贈与税の税率構造の緩和、受贈者に孫を加えるなど相続時精算課税制度の対象範囲を拡大し、高齢者の保有資産の若年世代への早期移転を促して、消費拡大や経済活性化を図ります。」とされ、相続税の基礎控除の引下げや最高税率の引上げを含む税率構造の見直しによる負担の適正化と併せて、贈与税を緩和することにより、一層、高齢者の保有資産を若年世代へ移転することを促進するとの趣旨が示されました。

このうち「子や孫などが受贈者となる場合の贈与税の税率構造の緩和(暦年課税)」については、20歳以上の者が直系尊属から贈与を受けた場合、改正前の最高税率50%を適用する金額（相続税：3億円と贈与税：1,000万円）の比率（30：1）に着目し、過去の改正時の比率（昭和63年度改正12.5：1、平成4年度改正20：1）を参考に、改正後のこの比率は、10：1（相続税3億円、贈与税3,000万円）とすることとし、これに併せて、全体的にブラケット幅が拡げられました。

【贈与税の税率構造の緩和】

<table>
<tr><th>基礎控除後の課税価格</th><th>改正前
税 率</th><th>H27.1.1 以後
一般税率</th><th>H27.1.1 以後
特例税率※</th></tr>
<tr><td>~200 万円以下</td><td>10%</td><td>10%</td><td>10%</td></tr>
<tr><td>200 万円超~300 万円以下</td><td>15%</td><td>15%</td><td rowspan="2">15%</td></tr>
<tr><td>300 万円超~400 万円以下</td><td>20%</td><td>20%</td></tr>
<tr><td>400 万円超~600 万円以下</td><td>30%</td><td>30%</td><td>20%</td></tr>
<tr><td>600 万円超~1,000 万円以下</td><td>40%</td><td>40%</td><td>30%</td></tr>
<tr><td>1,000 万円超~1,500 万円以下下</td><td rowspan="4">50%</td><td>45%</td><td>40%</td></tr>
<tr><td>1,500 万円超~3,000 万円以下</td><td>50%</td><td>45%</td></tr>
<tr><td>3,000 万円超~4,500 万円以下</td><td rowspan="2">55%</td><td>50%</td></tr>
<tr><td>4,500 万円超~</td><td>55%</td></tr>
</table>

※ 暦年課税の場合において、直系尊属から贈与により財産を取得した受贈者(贈与年1月1日において18歳以上の者に限ります。)については、「特例税率」を適用して税額計算を行います。

相続時精算課税制度

1 相続時精算課税の選択 ✤✤✤

(1) 適用要件

① 一般の場合（法21の９①、措法70の２の６①）

贈与により財産を取得した者が贈与者の**推定相続人**（その贈与者の**直系卑属**である者のうちその年１月１日において**18歳以上**であるものに限る。）又は**孫**（その年１月１日において**18歳以上**であるものに限る。）であり、かつ、その贈与者が同日において**60歳以上**の者である場合には、その贈与により財産を取得した者は、その贈与に係る財産について、相続時精算課税の規定の適用を**受けることができる**。

② 事業承継の場合（措法70の２の７①、70の２の８）

贈与により特例受贈事業用資産を取得した**特例事業受贈者**又は特例対象受贈非上場株式等を取得した**特例経営承継受贈者**が贈与者又は特例贈与者の**直系卑属である推定相続人以外の者**（その贈与者又はその特例贈与者の孫を除き、その年１月１日において**18歳以上**である者に限る。）であり、かつ、その贈与者又はその特例贈与者が同日において**60歳以上**の者である場合には、その贈与によりその特例受贈事業用資産を取得した特例事業受贈者又はその特例対象受贈非上場株式等を取得した特例経営承継受贈者については、相続時精算課税の規定を**準用する**。

(2) 手　続（法21の９②）

(1)の適用を受けようとする者は、贈与税の**期限内申告書の提出期間内**に(1)の贈与者からの贈与により取得した財産について**相続時精算課税選択届出書**を納税地の所轄税務署長に**提出しなければならない**。

(3) 贈与税額の計算（法21の９③）

特定贈与者からの贈与により取得する財産については、その**届出書に係る年分以後**、2により、贈与税額を計算する。

(4) 不適用

① 一般の場合（法21の９④、措法70の２の６②）

その年１月１日において18歳以上の者が同日において60歳以上の者からの贈与により財産を取得した場合にその**年の中途において**その者の養子となったこと等の事由によりその者の**推定相続人となったとき**又は**孫となったとき**には、推定相続人又は孫となった**時前**にその者からの贈与により取得した財産については、**(1)①の適用はないものとする**。

② 事業承継の場合（措法70の２の７②、70の２の８）

特例事業受贈者又は特例経営承継受贈者が贈与者又は特例贈与者（その年１月１日において**60歳以上**である者に限る。）からの贈与により特例受贈事業用資産又は特例対象受贈非上場株式等を取得した場合において、その特例受贈事業用資産又はその特例対象受贈非上場株式等の**取得の時前**にその贈与者又はその特例贈与者からの贈与により取得した財産については、**⑴②の適用はないものとする。**

⑸ **継続適用**

① 一般の場合（法21の９⑤、措法70の２の６③）

相続時精算課税適用者が、特定贈与者の**推定相続人**又は**孫でなくなった場合**においても、その特定贈与者からの贈与により取得した財産については、**⑶の適用があるものとする。**

② 事業承継の場合（措法70の２の７③、70の２の８）

⑴②の特例事業受贈者又は特例経営承継受贈者が猶予中贈与税額に相当する贈与税の全部につき**納税の猶予に係る期限が確定した場合**又は**免除された場合**においても、贈与者又は特例贈与者からの贈与により取得した財産については、**⑶の適用があるものとする。**

⑹ **撤回不可**（法21の９⑥）

相続時精算課税適用者は、相続時精算課税選択届出書を**撤回することができない。**

2 相続時精算課税に係る贈与税額 ✤✤

⑴ **贈与税の課税価格**（法21の10）

相続時精算課税適用者が特定贈与者からの贈与により取得した財産については、**特定贈与者ごと**にその年中において贈与により取得した財産の価額を合計し、**それぞれの合計額**をもって、贈与税の課税価格とする。

⑵ **適用除外**（法21の11）

相続時精算課税適用者が特定贈与者からの贈与により取得した財産については、贈与税の基礎控除、贈与税の配偶者控除及び超過累進税率の規定は、適用しない。

⑶ **相続時精算課税に係る贈与税の基礎控除**（法21の11の２、措法70の３の２）

相続時精算課税適用者がその年中において特定贈与者からの贈与により取得した財産に係るその年分の贈与税については、贈与税の課税価格から110万円を控除する。

⑷ **贈与税の特別控除**（法21の12①）

相続時精算課税適用者がその年中において特定贈与者からの贈与により取得した財産に係るその年分の贈与税については、**特定贈与者ごと**の⑶控除後の贈与税の課税価格からそれぞれ次の金額のうち**いずれか低い金額**を控除する。

① **2,500万円**（既に控除した金額がある場合には、その金額の合計額を控除した**残額**）

② **特定贈与者ごとの⑶控除後の贈与税の課税価格**

⑸ **贈与税の税率**（法21の13）

相続時精算課税適用者がその年中において特定贈与者からの贈与により取得した財産に係るその年分の贈与税の額は、特定贈与者ごとに、⑶控除後の贈与税の課税価格（特別控除後の金額）にそれぞれ$\frac{20}{100}$の税率を乗じて計算した金額とする。

3 相続時精算課税に係る相続税額 ✤✤✤

⑴ **相続又は遺贈により財産を取得した相続時精算課税適用者**（法21の15①）

特定贈与者から**相続又は遺贈により財産を取得した相続時精算課税適用者**については、相続時精算課税適用財産（その取得の日の属する年分の贈与税の課税価格計算の基礎に算入されるものに限る。）の価額から 2 ⑶の規定による控除をした残額を**相続税の課税価格に加算した価額をもって**、相続税の課税価格とする。

⑵ **相続又は遺贈により財産を取得しなかった相続時精算課税適用者**（法21の16①③）

特定贈与者から**相続又は遺贈により財産を取得しなかった相続時精算課税適用者**については、その特定贈与者からの贈与により取得した相続時精算課税適用財産をその特定贈与者から相続（その相続時精算課税適用者がその特定贈与者の相続人以外の者である場合には、遺贈）により**取得したものとみなして**相続税を課する。

この場合において、相続税の課税価格に算入される財産の価額は、**贈与の時における価額**とし、2 ⑶の規定による控除した残額とする。

⑶ **相続時精算課税に係る贈与税額控除**（法21の15③、21の16④）

⑴又は⑵の場合において、相続時精算課税適用財産につき**課せられた贈与税があるとき**は、相続税額からその贈与税の税額（贈与税の外国税額控除前の税額とし、附帯税を除く。）に相当する金額を控除した金額をもって、その**納付すべき相続税額とする。**

4 相続時精算課税に係る贈与税額の還付 ✤✤

⑴ **還　付**（法33の２①）

税務署長は、相続時精算課税適用財産に係る贈与税の税額（贈与税の外国税額控除前の税額とし、附帯税を除く。）に相当する金額がある場合において、その金額を相続税額から控除してもなお**控除しきれなかった金額があるとき**は、相続税の申告書に記載されたその控除しきれなかった金額（贈与税の外国税額控除額を控除した**残額**）に相当する税額を**還付する。**

⑵ **手　続**（法33の２④）

⑴の規定は、**還付を受けるための申告書**が提出された**場合に限り、適用する。**

出題年度：H19・H24・R元

相続時精算課税に係る相続税の納付義務の承継等

1 相続時精算課税適用者が死亡した場合（法21の17①）✤✤

特定贈与者の死亡以前に相続時精算課税適用者が死亡した場合には、その相続時精算課税適用者の**相続人**（**包括受遺者**を含む。以下1及び2において同じ。）は、その相続時精算課税適用者が有していた相続時精算課税の適用を受けていたことに伴う**納税に係る権利**又は**義務を承継する**。

ただし、その相続人のうちにその特定贈与者がある場合には、その**特定贈与者**は、その納税に係る権利又は義務については、**これを承継しない**。

2 相続時精算課税選択届出書の提出期限前に死亡した場合（法21の18①②）✤✤

⑴ 贈与により財産を取得した者（以下「被相続人」という。）が相続時精算課税の適用を受けることができる場合に、その被相続人が相続時精算課税選択届出書の**提出期限前**にその**届出書を提出しないで死亡したとき**は、その被相続人の**相続人**（**贈与者を除く**。以下同じ。）は、その相続の開始があったことを知った日の**翌日から10月以内**（相続人が納税管理人の届出をしないでその期間内に法施行地に住所及び居所を有しないこととなるときは、その住所及び居所を有しないこととなる日まで）に、その届出書をその**被相続人の納税地**の所轄税務署長に**共同して提出することができる**。

⑵ ⑴により、相続時精算課税選択届出書を提出した**相続人**は、被相続人が有することとなる相続時精算課税の適用を受けることに伴う**納税に係る権利**又は**義務を承継する**。

住宅取得等資金の贈与を受けた場合の相続時精算課税の特例

1 相続時精算課税の特例（措法70の３①②）✤✤✤

平成15年１月１日から令和８年12月31日までの間にその年１月１日において**60歳未満の者**からの贈与により住宅取得等資金の取得をした**特定受贈者**が、住宅取得等資金の取得をした日の属する年の**翌年３月15日までに**その住宅取得等資金の全額を住宅用家屋の**新築**、**取得**若しくは**増改築等**（以下「新築等」という。）又はこれらとともにするその敷地の用に供されている土地若しくは土地の上に存する権利の取得のための対価に充てた場合において、**同日までにその住宅用家屋をその特定受贈者の居住の用に供したとき**又は**同日後遅滞なく居住の用に供することが確実であると見込まれるとき**は、その特定受贈者については、**相続時精算課税の規定を準用する**。

2 手　続（措法70の３⑫）✤✤

1の規定は、贈与税の**期限内申告書**にこの規定の適用を受けようとする旨を記載し、この規定による計算の明細書その他一定の書類の添付がある場合に限り、適用する。

3 特例の取消しに係る修正申告等（措法70の３④）✤✤

特定受贈者が贈与により住宅取得等資金の取得をした日の属する年の翌年３月15日後遅滞なく新築等をした住宅用家屋をその特定受贈者の居住の用に供することが確実であると見込まれることにより相続時精算課税選択届出書を提出して1の規定の適用を受けた場合において、その住宅用家屋を**同年12月31日までに**その特定受贈者の**居住の用に供していなかったとき**は、その**届出書を提出していなかったものとみなす**。

この場合において、その特定受贈者は、同年12月31日から**２月以内**に、1の規定の適用を受けた年分の贈与税についての**修正申告書**を提出し、かつ、その期限内にその修正申告書の提出により納付すべき税額を**納付しなければならない**。

4 災害による滅失等があった場合の特例 ✤

(1) 贈与税の申告期限前に災害があった場合（措法70の３⑨⑪）

① 1の場合において、新築等をした住宅用家屋が**災害**（震災、風水害、火災その他一定の災害をいう。以下同じ。）**により滅失**（通常の修繕によっては原状回復が困難な損壊を含む。以下同じ。）をしたことにより、住宅取得等資金の取得をした日の属する年の**翌年３月15日までに**その**居住の用に供することができなくなったときであっても、1の適用を受けることができる。**

② 1の場合において、**災害に基因するやむを得ない事情**により住宅取得等資金の取得をした日の属する年の翌年３月15日までに**新築等ができなかったときであっても、同年の翌々年３月15日までに住宅用家屋を特定受贈者の居住の用に供したとき**は、**1の適用を受けることができる。**

(2) 贈与税の申告期限後に災害があった場合（措法70の３⑧⑩）

① 特定受贈者が贈与により住宅取得等資金の取得をした日の属する年の翌年３月15日後遅滞なく新築等をした住宅用家屋をその特定受贈者の居住の用に供することが確実であると見込まれることにより1の適用を受けた場合において、その住宅用家屋が**災害により滅失**をしたことによってその**居住の用に供することができなくなったとき**は、**3は適用しない。**

② ①の場合において、**災害に基因するやむを得ない事情**によりその住宅用家屋を住宅取得等資金の取得をした日の属する年の翌年12月31日までにその特定受贈者の**居住の用に供することができなかったとき**は、その期限をその贈与により住宅取得等資金の取得をした日の属する年の**翌々年12月31日まで**とする。

出題年度：なし

相続時精算課税に係る土地又は建物の価額の特例

1 相続時精算課税に係る相続税額の特例

(1) 概　要（措法70の３の３①）✤✤

相続時精算課税適用者が特定贈与者からの贈与により取得した**土地又は建物**が、その**贈与を受けた日からその特定贈与者の死亡に係る相続税の期限内申告書の提出期限までの間に災害**（震災、風水害、火災その他一定の災害をいう。）によって相当の被害**を受けた場合**（その相続時精算課税適用者が（その相続時精算課税適用者に係る権利又は義務を承継したその相続時精算課税適用者の相続人を含む。）がその土地又は建物をその贈与を受けた日からその災害が発生した日まで引き続き所有していた場合に限る。）において、その相続時精算課税適用者が、**贈与税の納税地の所轄税務署長の承認を受けたとき**における相続時精算課税に係る相続税額の規定の適用については、土地又は建物の贈与の時における価額からその**災害により被害を受けた部分に対応するものとして計算した金額を控除した残額を相続税の課税価格に加算又は算入する。**

(2) 相当の被害（措令40の５の３②③）✤✤

相続時精算課税適用者が特定贈与者からの贈与により取得した次に掲げる財産の区分に応じそれぞれに定める程度の被害とする。

① 土地…その土地の**贈与の時における価額のうちにその土地に係る被災価額の占める割合が10分の１以上となる被害**

② 建物…その建物の**想定価額のうちにその建物に係る被災価額の占める割合が10分の１以上となる被害**

被災価額：土地又は建物が災害により被害を受けた部分の価額から保険金、損害賠償金その他これらに類するものにより補填される金額を控除した残額をいう。

想定価額：災害により被害を受けた建物の特定贈与者からの贈与の時における価額にイに掲げる年数をロに掲げる年数で除して得た数を乗じて計算した金額をいう。

イ　その災害が発生した日においてその建物の使用可能期間のうちいまだ経過していない期間として一定の年数

ロ　その贈与の日においてその建物の使用可能期間のうちいまだ経過していない期間として一定の年数

(3) 手続（措令40の5の3⑤）✤✤

(1)の承認を受けようとする相続時精算課税適用者（その相続時精算課税適用者に係る権利又は義務を承継したその相続時精算課税適用者の相続人（包括受遺者を含む。）を含む。以下同じ。）は、**災害による被害を受けた部分の価額その他の一定の事項を記載した申請書**を、その**災害が発生した日から３年を経過する日**（同日までにその相続時精算課税適用者が死亡した場合には、同日とその相続時精算課税適用者の相続人（包括受遺者を含む。）がその相続時精算課税適用者の死亡による相続の開始があつたことを知った日の翌日から６月を経過する日とのいずれか遅い日）までにその相続時精算課税適用者の**贈与税の納税地の所轄税務署長に提出**しなければならない。

2 相続時精算課税に係る贈与税の申告内容の開示等（措法70の３の３②）✤

1 の規定の適用がある場合における相続時精算課税に係る贈与税の申告内容の開示等の規定の適用については、他の共同相続人等がその被相続人から贈与により取得した相続時精算課税適用財産に係る贈与税の申告書に記載された相続時精算課税に係る贈与税の基礎控除後の贈与税の課税価格の合計額（**災害によって被害を受けた土地又は建物にあっては、その災害により被害を受けた部分に対応するものとして計算した金額を控除した残額**）について開示請求することができる

3 適用除外（措法70の３の３③）✤

1 の規定は相続時精算課税適用者が**災害減免法の適用を受けようとする場合又は受けた場合は、適用しない。**

6-1 財産の評価　　　　出題年度：S27・H4・H8

相続税法に定める財産の評価

1 評価の原則（法22）✤✤✤

2 に特別の定めのあるものを除くほか、相続、遺贈又は贈与により取得した財産の価額は、その**財産の取得の時における時価**により、その財産の価額から控除すべき債務の金額は、その時の現況による。

2 評価の特例 ✤✤✤

(1) 地上権及び永小作権の評価（法23）

自用地としての価額×残存期間に応ずる割合

(2) 配偶者居住権等の評価（法23の２）

① 配偶者居住権

配偶者居住権の価額は、**建物の時価**から次の算式により計算した金額を控除した**残額**とする。

$$\text{建物の時価} \times \frac{\text{A}-\text{配偶者居住権の存続年数}}{\text{残存耐用年数（A）}} \times \begin{array}{l}\text{存続年数に応じた法定}\\\text{利率による複利現価率}\end{array}$$

※ 建物の時価

その配偶者居住権の目的となっている建物の相続開始の時におけるその**配偶者居住権が設定されていないものとした場合の時価**（その建物の一部が賃貸されている場合又はその建物をその配偶者と共有していた場合には、賃貸されていない部分又はその被相続人の持分の割合に応ずる部分の価額。）

※ 残存耐用年数

その配偶者居住権の目的となっている**建物の耐用年数**（法定耐用年数の1.5倍）から配偶者居住権が設定された時における**建築後の経過年数**を控除した年数

※ 配偶者居住権の存続年数

配偶者居住権が設定された時におけるその配偶者の**平均余命**又は**設定年数**のうち短い方の年数

② 居住建物の所有権

配偶者居住権の目的となっている建物の価額は、その建物の相続開始の時におけるその**配偶者居住権が設定されていないものとした場合の時価**から①により計算した配偶者居住権の価額を控除した**残額**とする。

③　敷地利用権

配偶者居住権の目的となっている建物の敷地の用に供される土地（土地の上に存する権利を含む。以下同じ。）をその配偶者居住権に基づき使用する権利の価額は、**土地の時価**から次の算式により計算した金額を控除した**残額**とする。

土地の時価 × 存続年数に応じた法定利率による複利現価率

※　土地の時価

その土地の相続開始の時におけるその**配偶者居住権が設定されていないものとした場合の時価**（その建物の一部が賃貸されている場合又はその土地を他の者と共有し、若しくはその建物をその配偶者と共有していた場合には、賃貸されていない部分に応ずる部分又はその被相続人の持分の割合に応ずる部分の価額。）

④　敷地の所有権

配偶者居住権の目的となっている建物の敷地の用に供される土地の価額は、その土地の相続開始の時におけるその**配偶者居住権が設定されていないものとした場合の時価**から③により計算した敷地利用権の価額を控除した**残額**とする。

⑶　定期金に関する権利の評価

①　給付事由が発生しているもの（法24①②③④）

定期金給付契約で定期金給付事由が発生しているものに関する権利の価額は、次の金額による。

(ｲ)　有期定期金

次の金額のうちいずれか**多い金額**

㋑　**解約返戻金**の金額

㋺　定期金に代えて一時金の給付を受けることができる場合には、その**一時金**の金額

㋩　給付を受けるべき金額**の１年当たりの平均額** × **残存期間**に応じた予定利率による**複利年金現価率**

(ﾛ)　無期定期金

次の金額のうちいずれか**多い金額**

㋑　**解約返戻金**の金額

㋺　定期金に代えて一時金の給付を受けることができる場合には、その**一時金**の金額

㋩　$\dfrac{\text{給付を受けるべき金額の１年当たりの平均額}}{\text{予定利率}}$

(ハ) 終身定期金

次の金額のうちいずれか**多い金額**

ただし、その目的とされた者が期限内申告書の提出期限までに死亡したことにより給付が終了した場合には、給付を受け、又は受けるべき金額による。

㋑ **解約返戻金**の金額

㋺ 定期金に代えて一時金の給付を受けることができる場合には、その**一時金**の金額

㋩ 給付を受けるべき金額の**1年当たりの平均額** × **余命年数**に応じた予定利率による**複利年金現価率**

(ニ) 保証期間付定期金に関する権利に規定する一時金

その給付金額

(ホ) 期間付終身定期金

(イ)と(ハ)のいずれか**少ない金額**

(ヘ) 保証期間付終身定期金

(イ)と(ハ)のいずれか**多い金額**

② 給付事由が発生していないもの（法25）

定期金給付契約（**生命保険契約を除く。**）で定期金給付事由が発生していないものに関する権利の価額は、次の金額による。

(イ) 解約返戻金を支払う旨の定めがない場合

㋑ 掛金又は保険料が一時に払い込まれた場合

掛金又は保険料の**払込金額** × （1＋予定利率）^{経過期間} × $\frac{90}{100}$

㋺ ㋑以外の場合

経過期間に払い込まれた掛金又は保険料の金額の**1年当たりの平均額** × **経過期間**に応じた予定利率による**複利年金終価率** × $\frac{90}{100}$

(ロ) (イ)以外の場合

解約返戻金の金額

⑷ **立木の評価**（法26）

相続又は遺贈（**包括遺贈**及び被相続人からの**相続人に対する遺贈**に限る。）により取得した立木の価額は、その立木を取得した時における立木の**時価**に$\frac{85}{100}$の割合を乗じて算出した金額による。

コラム @ランダム

【配偶者居住権が法定評価とされた理由】

相続税法は、相続税・贈与税における財産の評価額について、原則として、財産を取得した時における「時価」によることのみを定め（相法22）、具体的な評価方法については解釈に委ねています（実務上は、国税庁が定める「財産評価基本通達」により評価されています。）。ただし、地上権、定期金に関する権利等の一部の財産については、時価を把握することが困難である等の理由により、解釈に委ねるのではなく、相続税法に具体的な評価方法が法定されています。

配偶者居住権の評価については、原則的な「時価」による評価ではなく、地上権等と同様に評価方法を法定することとされました。その主な理由は次のとおりです。

① 相続税法の「時価」とは、それぞれの財産の現況に応じ、不特定多数の当事者間で自由な取引が行われる場合に通常成立すると認められる価額、すなわち、客観的な交換価値をいうものと解されており、取引可能な財産を前提としているが、配偶者居住権は譲渡することが禁止されているため、この「時価」の解釈を前提とする限り、解釈に委ねるには馴染まないと考えられること。

② 配偶者居住権の評価額について解釈が確立されているとは言えない現状において解釈に委ねると、どのように評価すれば良いのか納税者が判断するのは困難であると考えられ、また、納税者によって評価方法が区々となり、課税の公平性が確保できなくなるおそれがあること。

③ 配偶者の余命年数を大幅に超える存続期間を設定して配偶者居住権を過大に評価し、相続税の配偶者に対する税額軽減の適用を受ける等の租税回避的な行為を防止するためには、法令の定めによることが適切であると考えられること。

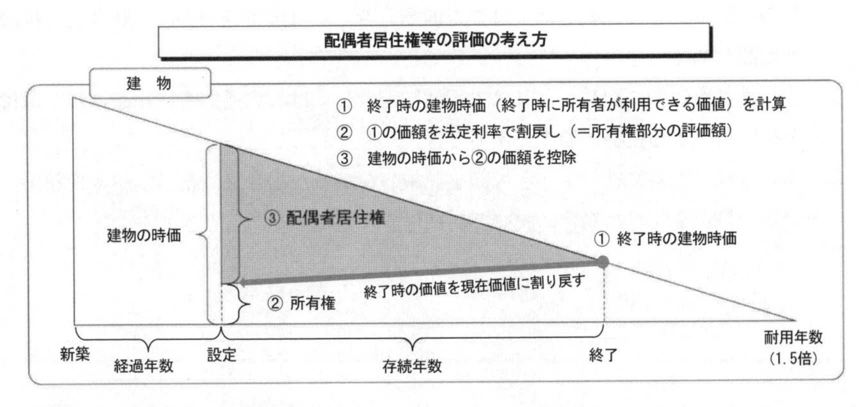

【配偶者居住権の評価算式】

$$\text{建物の時価} - \text{建物の時価} \times \frac{\text{耐用年数} - \text{経過年数} - \text{存続年数}}{\text{耐用年数} - \text{経過年数}} \times \text{存続年数に応ずる法定利率による複利現価率}$$

国税通則法の申告等

1 国税通則法の期限内申告 ✤

⑴ **期限内申告**（国通17）

申告納税方式による納税者は、納税申告書を**法定申告期限**までに税務署長に**提出しなければならない。**この納税申告書を、期限内申告書という。

⑵ **期限の延長**（国通11）

税務署長等は、災害その他やむを得ない理由により、申告書を提出期限までに提出できないと認めるときは、その理由のやんだ日から**2月以内**に限り、その期限を**延長することができる。**

2 国税通則法の期限後申告（国通18①②） ✤

期限内申告書を提出すべきであった者は、その提出期限後においても、**決定があるまでは、期限後申告書**を税務署長に**提出することができる。**

3 国税通則法の修正申告（国通19①②③） ✤

納税申告書を提出した者及び**更正又は決定を受けた者**は、次のいずれかに該当する場合には、更正があるまでは、**修正申告書**を税務署長に**提出することができる。**

⑴ 先の納税申告書に記載した又は更正通知書若しくは決定通知書に記載された**税額に不足額があると**き。

⑵ 先の納税申告書に記載した又は更正通知書若しくは決定通知書に記載された**還付金の額に相当する税額が過大であると**き。

⑶ 先の納税申告書に納付すべき税額を記載しなかった場合又は納付すべき税額がない旨の更正を受けた場合において、納付すべき税額があるとき。

4　国税通則法の更正の請求 ✤

⑴　**原　則**（国通23①、法32②）

納税申告書を提出した者は、次のいずれかに該当する場合には、その申告書の**法定申告期限から５年**（贈与税については**６年**）**以内**に限り、税務署長に対し、**更正の請求をすることができる。**

① その申告書に記載した課税価格若しくは税額の計算が法律の規定に従っていなかったこと又はその計算に誤りがあったことにより、納付すべき税額が**過大である**とき。

② ①の理由により、その申告書に記載した還付金の額に相当する税額が**過少である**とき、又は還付金の額に相当する税額の記載がなかったとき。

⑵　**特　則**（国通23②）

納税申告書を提出した者又は決定を受けた者は、次のいずれかに該当する場合には、⑴にかかわらず、それぞれの日の**翌日から２月以内**（納税申告書を提出した者については、その期間満了日が⑴の期間満了日後に到来する場合に限る。）に、税務署長に対し、**更正の請求をすることができる。**

① その申告等に係る課税価格又は税額の計算の基礎となった事実に関する訴えについての判決等により、その事実がその計算の基礎としたところと異なることが確定したとき。

…その**確定した日**

② その申告等をした者等に帰属するものとされていた課税物件が他の者に帰属するものとする当該他の者に係る国税の更正又は決定があったとき。

…その**更正又は決定があった日**

③ その他その法定申告期限後に生じた①及び②に類するやむを得ない理由があるとき。

…その**理由が生じた日**

7-2 申告・納付　出題年度：H19・H28・R2　他6回

相続税の期限内申告・還付申告及び納税地

1　相続税法の相続税の期限内申告及び還付申告 ✣✣✣

(1) 本来の提出義務者

① 一般の者（法27①）

相続又は遺贈（被相続人からの相続時精算課税適用財産に係る贈与を含む。以下同じ。）により財産を取得した者及びその被相続人に係る相続時精算課税適用者は、その被相続人からこれらの事由により財産を取得した**全ての者に係る相続税の課税価格**（生前贈与加算及び相続時精算課税適用財産の価額を加算した後の相続税の課税価格とみなされた金額。以下同じ。）**の合計額が遺産に係る基礎控除額を超える場合**において、**その者に係る相続税額**（配偶者の税額軽減の規定の適用を受けないものとして計算した金額）があるときは、その**相続の開始があったことを知った日の翌日から10月以内**（その者が納税管理人の届出をしないでその期間内に法施行地に住所及び居所を有しないこととなるときは、その住所及び居所を有しないこととなる日まで。以下同じ。）に**期限内申告書**を納税地の所轄税務署長に**提出しなければならない**。

② 相続財産法人に係る財産を与えられた者等（法29①）

イ又はロの事由が生じたため**新たに期限内申告書を提出すべき要件に該当することとなった者**は、①にかかわらず、その**事由が生じたことを知った日の翌日から10月以内**に**期限内申告書**を納税地の所轄税務署長に**提出しなければならない**。

イ　**相続財産法人**に係る**相続財産の全部又は一部を与えられたこと**

ロ　**特別寄与者**が支払を受けるべき**特別寄与料の額が確定したこと**

(2) 提出義務の承継者（法27②、29②）

(1)により期限内申告書を提出すべき者がその申告書の**提出期限前**にその申告書を**提出しないで死亡した場合**には、その者の**相続人**（包括受遺者を含む。以下同じ。）は、その**相続の開始があったことを知った日の翌日から10月以内**に、**その死亡した者の期限内申告書**を**その死亡した者の納税地**の所轄税務署長に**提出しなければならない**。

(3) 還付申告（法27③）

相続時精算課税適用者は、相続税の期限内申告書を提出すべき場合のほか、相続時精算課税に係る**贈与税額の還付を受けるため**、相続時精算課税適用財産に係る相続税の課税価格、**還付を受ける税額**その他一定の事項を記載した申告書を納税地の所轄税務署長に**提出することができる**。

(4) **書類の添付**（法27④、29②）

(1)、(2)又は(3)の規定により申告書を提出する場合には、その申告書に一定の事項を記載した明細書その他一定の書類を添付しなければならない。

(5) **共同提出**（法27⑤、29②）

同一の被相続人から相続又は遺贈により財産を取得した者又はその者の相続人で期限内申告書を提出すべきもの又は提出することができるものが**２人以上ある場合**において、その申告書の提出先の**税務署長が同一であるとき**は、これらの者は、その申告書を**共同して提出することができる**。

(6) **提出を要しない場合**（法27⑥、29②）

(1)、(2)又は(3)の規定は、期限内申告書の**提出期限前**に相続税について**決定**があった場合には、**適用しない**。

2 納　付（法33）✤

期限内申告書を提出した者は、その**申告書の提出期限まで**に、その申告書に記載した相続税額に相当する相続税を国に**納付しなければならない**。

3 納税地 ✤✤

(1) **法施行地に住所を有する者**（法62①）

居住無制限納税義務者若しくは居住制限納税義務者又は特定納税義務者については、**法施行地にある住所地**（法施行地に住所を有しないこととなった場合には、居所地）をもって、その納税地とする。

(2) **法施行地に住所を有しない者及び出国する者**（法62②）

非居住無制限納税義務者又は非居住制限納税義務者及び居住無制限納税義務者若しくは居住制限納税義務者又は特定納税義務者で法施行地に住所及び居所を有しないこととなるものは、**納税地を定めて**、納税地の所轄税務署長に**申告しなければならない**。その申告がないときは、**国税庁長官**がその**納税地を指定**し、これを通知する。

(3) **納税義務者が死亡した場合**（法62③）

納税義務者が死亡した場合においては、その者に係る相続税については、その者の**死亡当時の納税地**をもって、その納税地とする。

(4) **被相続人の住所が法施行地にある場合の特例**（法附則３）

相続又は遺贈により財産を取得した者（被相続人から相続時精算課税適用財産を贈与により取得した者を含む。以下同じ。）のその**被相続人の死亡の時における住所が法施行地にある場合**においては、その財産を取得した者については、当分の間、相続税に係る納税地は、(1)及び(2)にかかわらず、**被相続人の死亡の時における住所地**とする。

出題年度：H22

贈与税の期限内申告及び納税地

1 相続税法の贈与税の期限内申告 ✤✤✤

(1) 本来の提出義務者（法28①）

贈与により財産を取得した者は、その年分の贈与税の課税価格に係る**贈与税額**（贈与税の配偶者控除の適用を受けないものとして計算した金額。以下同じ。）**があるとき**又はその財産が**相続時精算課税適用財産であるとき**（基礎控除後の贈与税の課税価格がある場合に限る。）は、その年の**翌年２月１日から３月15日まで**（同年１月１日から３月 15 日までに納税管理人の届出をしないで法施行地に住所及び居所を有しないこととなるときは、その住所及び居所を有しないこととなる日まで）に、**期限内申告書**を納税地の所轄税務署長に**提出しなければならない。**

(2) 提出義務の承継者（法28②）

次の場合には、その死亡した者の**相続人**（包括受遺者を含む。）は、その**相続の開始があったことを知った日の翌日から10月以内**（その者が納税管理人の届出をしないでその期間内に法施行地に住所及び居所を有しないこととなるときは、その住所及び居所を有しないこととなる日まで）に、**その死亡した者の期限内申告書**を**その死亡した者の納税地**の所轄税務署長に**提出しなければならない。**

① 年の中途において死亡した者がその年**１月１日から死亡の日まで**に贈与により取得した財産の価額の合計額につき**贈与税額があることとなる場合**

② 年の中途において死亡した相続時精算課税適用者がその年**１月１日から死亡の日まで**に贈与により**相続時精算課税適用財産を取得した場合**（基礎控除後の贈与税の課税価格がある場合に限る。）

③ 期限内申告書を提出すべき者がその申告書の**提出期限前**にその申告書を**提出しないで死亡した場合**

(3) 提出を要しない場合（法28③④）

① (1)又は(2)の規定は、期限内申告書の**提出期限前**に贈与税について**決定**があった場合には、**適用しない。**

② 相続時精算課税適用者が相続時精算課税適用財産を取得した場合において、特定贈与者がその贈与をした**年の中途において死亡したとき**は、その財産については、**(1)は適用しない。**

2 納　付（法33）✤

期限内申告書を提出した者は、その**申告書の提出期限まで**に、その申告書に記載した贈与税額に相当する贈与税を国に**納付しなければならない。**

3 納税地 ✤✤

⑴ 法施行地に住所を有する者（法62①）

居住無制限納税義務者又は居住制限納税義務者については、**法施行地にある住所地**（法施行地に住所を有しないこととなった場合には、居所地）をもって、その納税地とする。

⑵ 法施行地に住所を有しない者及び出国する者（法62②）

非居住無制限納税義務者又は非居住制限納税義務者及び居住無制限納税義務者又は居住制限納税義務者で法施行地に住所及び居所を有しないこととなるものは、**納税地を定めて**、納税地の所轄税務署長に**申告しなければならない。**その申告がないときは、**国税庁長官**がその**納税地を指定**し、これを通知する。

⑶ 納税義務者が死亡した場合（法62③）

納税義務者が死亡した場合においては、その者に係る贈与税については、その者の**死亡当時の納税地**をもって、その納税地とする。

7-4 申告・納付　　出題年度：H18・H24・R2　他4回

相続税法の期限後申告、修正申告、更正の請求の特則

1　相続税の申告等の特則 ✤✤✤

(1)　**期限後申告の特則**（法30①）

相続税の期限内申告書の提出期限後において[3](1)から(6)までの事由が生じたため**新たに期限内申告書を提出すべき要件に該当すること**となった者は、**期限後申告書**を**提出することができる。**

(2)　**修正申告の特則**（法31①②）

①　任意的修正申告

相続税の期限内申告書又は期限後申告書を提出した者（決定を受けた者を含む。）は、[3](1)から(6)までの事由が生じたため**既に確定した相続税額に不足を生じた場合**には、**修正申告書**を**提出することができる。**

②　義務的修正申告

①に規定する者は、[3](7)の事由が生じたため**既に確定した相続税額に不足を生じた場合**には、**その事由が生じたことを知った日の翌日から10月以内**（その者が納税管理人の届出をしないでその期間内に法施行地に住所及び居所を有しないこととなるときは、その住所及び居所を有しないこととなる日まで）に**修正申告書**を納税地の所轄税務署長に**提出しなければならない。**

(3)　**更正の請求の特則**（法32①）

相続税について申告書を提出した者又は決定を受けた者は、[3]**のいずれかの事由**によりその申告又は決定に係る**課税価格及び相続税額が過大となったとき**は、**各事由が生じたことを知った日の翌日から４月以内**に限り、納税地の所轄税務署長に対し、**更正の請求をすることができる。**

2　贈与税の申告等の特則 ✤✤

(1)　**期限後申告の特則**（法30②）

贈与税の期限内申告書の提出期限後において[3](1)から(6)までの事由が生じたことにより**相続又は遺贈による財産の取得をしないこと**となったため**新たに期限内申告書を提出すべき要件に該当すること**となった者は、**期限後申告書**を**提出することができる。**

(2) 修正申告の特則（法31④）

贈与税の期限内申告書又は期限後申告書を提出した者（決定を受けた者を含む。）は、**3(1)から(6)までの事由**が生じたことにより**相続又は遺贈による財産の取得をしないこと**となったため**既に確定した贈与税額に不足を生じた場合**には、**修正申告書**を提**出することができる。**

(3) 更正の請求の特則（法32①）

贈与税について申告書を提出した者又は決定を受けた者は、**3のいずれかの事由**によりその申告又は決定に係る**課税価格及び贈与税額が過大となったときは、各事由が生じたことを知った日の翌日から４月以内**に限り、納税地の所轄税務署長に対し、**更正の請求をすることができる。**

3 相続税法の特則事由（法32①） ✤✤✤

(1) 未分割遺産に対する課税の規定により分割されていない財産について民法（寄与分を除く。）の規定による相続分又は包括遺贈の割合に従って課税価格が計算されていた場合において、その後その財産の分割が行われ、共同相続人又は包括受遺者がその分割により取得した財産に係る課税価格がその**相続分又は包括遺贈の割合に従って計算された課税価格と異なることとなったこと。**

(2) 民法の規定による認知の訴え等により**相続人に異動を生じたこと。**

(3) **遺留分侵害額の請求**に基づき支払うべき**金銭の額が確定したこと。**

(4) 遺贈に係る**遺言書が発見され**、又は**遺贈の放棄があったこと。**

(5) **条件を付して物納の許可がされた場合**（その物納の許可が取り消される場合に限る。）において、その物納に充てた財産に関し**有害物質により汚染されていること等が判明したこと。**

(6) (1)から(5)の事由に準ずる事由が生じたこと。

(7) **相続財産法人**に係る**相続財産の全部又は一部を与えられたこと**又は**特別寄与者**が支払を受けるべき**特別寄与料の額が確定したこと。**

(8) 相続税の期限内申告書の提出期限（以下「申告期限」という。）までに分割されていない財産が**申告期限から３年以内**（その期間内にその財産が分割されなかったことにつき、やむを得ない事情がある場合において、納税地の所轄税務署長の承認を受けたときは、その財産の分割ができることとなった日の翌日から４月以内。）に分割された場合において、その分割が行われた時以後において配偶者に対する相続税額の軽減の規定を適用して計算した相続税額が、その時前において同規定を適用して計算した**相続税額と異なることとなったこと**（**(1)に該当する場合を除く。**）。

(9) 国外転出する場合等の譲渡所得等の特例の適用を受ける者に係る納税猶予分の所得税額に係る**納付の義務を承継したその者の相続人**（包括受遺者を含む。）が、その納税猶予分の所得税額に相当する**所得税を納付することとなったこと。**

(10) 贈与税の課税価格計算の基礎に算入した財産のうちに**相続開始の年において**その相続に係る被相続人から受けた贈与により取得した財産の価額で**生前贈与加算**の規定により**相続税の課税価格に加算されるものがあったこと。**

4 その他 ✤

(1) みなし期限内申告（法50②）

相続税法の特則の義務的修正申告書で提出期限内に提出されたものについては、**期限内申告書とみなす。**

(2) 延滞税の特則（法51②一）

相続税法の特則の期限後申告書又は修正申告書の提出により納付すべき相続税額又は贈与税額に係る延滞税については、法定納期限の翌日からこれらの申告書の提出があった日までの期間は、**延滞税の計算の基礎となる期間に算入しない。**

5 納　付（国通35②一、法33） ✤

期限後申告書又は修正申告書を提出した者は、その**申告書を提出した日まで**又はその**申告書の提出期限まで**に、その申告書に記載した相続税額又は贈与税額に相当する相続税又は贈与税を国に**納付しなければならない。**

コラム　@ランダム

【贈与時の受贈者の住所が国内か国外かが争われた事件～その①～】（東京地裁 H19.5.23 判決）

《事案の概要》

この事案は、海外に居住している子への海外子会社の株式の贈与に対し、贈与税が課税できるか否かが争われた事件である。

X会社の経営者夫婦が保有していた国外所在のY子会社株式を、国外に居住していた子Aへ贈与したことがこの事件の発端となった。贈与時（平成 11 年）の相続税法における納税義務者及びその課税財産の範囲については、受贈者が国外に住所を有している場合「制限納税義務者」に該当し、「国外財産は課税対象外」となっていたことがポイントとなる。つまり、贈与時において子Aの住所が国外であれば、贈与を受けた国外所在のY子会社株式は課税対象外となり、日本国において全くの無税となる。この租税回避スキームを利用したのが、まさにこの贈与であったと言える。

よって、贈与時における子Aの住所が国内か、それとも国外かの事実関係の判断が、この事件の最大の争点となった。

課税庁側は、子Aが国外に居住していた期間中も4分の1以上日本に帰国・滞在していたこと、子Aの国外における業務（X会社 100%出資のベンチャーキャピタル業）には実態がなかったこと、さらに、子Aの資産は全て日本国内にあったことなどの事実関係から、贈与を受けた子Aの生活の本拠は日本国内であると認定、申告漏れの贈与税額およそ 1,160 億円及び無申告加算税額およそ 170 億円の決定処分を行った。これに対し、納税者側の子Aはこれらの税額に延滞税を加えたおよそ 1,585 億円を一旦納付した上で、課税庁の決定処分の取消しを求めて東京地裁に提訴した。

《判決の要旨》

東京地裁は、「住所とは生活の本拠であり、それは客観的事実に基づき総合的に判定するのが相当であるとした上で、主観的な居住意思は補充的な考慮要素にとどまるものと解される。」とした。

つまり、今回の贈与が租税回避目的であったことを考慮してもなお、子Aが日本国内に住所を有していたと認定することは困難と判示、課税庁側の主張を全て斥け納税者側が勝訴したのである。

しかし、課税庁側はこの判決内容を不服として控訴することとした。

《講師の一言》

この事件当時、納税義務者の区分及びその課税財産の範囲は現行のものとは異なるものでした。

- 受贈者等の住所が「国内」…「無制限納税義務者」⇒「すべての財産が課税対象」
- 受贈者等の住所が「国外」…「制限納税義務者」⇒「国内財産のみが課税対象」

この事件に限らず、当時は海外を利用した租税回避スキームが広く知られており、これを封じるための法改正が遅れていたこともまた事実でした。結果、この事件後すぐの平成 12 年度改正により、このような租税回避スキームは使えなくなりましたが、この事件はまさに改正直前のタイミングで行われた贈与だったわけです。

⇒ 第二審（東京高裁）の判決についてはP83へ

7-5 申告・納付　　出題年度：H11・H15・H25　他2回

租税特別措置法の期限後申告、修正申告、更正の請求の特則

1　小規模宅地等の特例に係る更正の請求の特則（措法69の4⑤）✤✤

相続税について申告書を提出した者又は決定を受けた者は、相続税の期限内申告書の提出期限（以下「申告期限」という。）までに分割されていない特例対象宅地等が**申告期限から３年以内**（その期間内にその特例対象宅地等が分割されなかったことにつき、やむを得ない事情がある場合において、納税地の所轄税務署長の承認を受けたときは、その特例対象宅地等の分割ができることとなった日の翌日から４月以内。）に分割された場合（特定計画山林についての相続税の課税価格の計算の特例の適用を受けている場合を除く。）において、その分割が行われた時以後において小規模宅地等についての相続税の課税価格の計算の特例の規定を適用して計算した相続税額がその時前において同規定を適用して計算した**相続税額と異なることとなったこと**（**相続税の課税価格が異なることとなった場合を除く。**）によりその申告又は決定に係る相続税額が**過大となったとき**は、その**事由が生じたことを知った日の翌日から４月以内**に限り、納税地の所轄税務署長に対し、**更正の請求をすることができる。**

2　特定計画山林の特例に係る更正の請求の特則（措法69の5⑥）✤✤

相続税について申告書を提出した者又は決定を受けた者は、相続税の申告期限までに分割されていない特定計画山林が**申告期限から３年以内**（その期間内にその特定計画山林が分割されなかったことにつき、やむを得ない事情がある場合において、納税地の所轄税務署長の承認を受けたときは、その特定計画山林の分割ができることとなった日の翌日から４月以内。）に分割された場合において、その分割が行われた時以後において特定計画山林についての相続税の課税価格の計算の特例の規定を適用して計算した相続税額がその時前において同規定を適用して計算した**相続税額と異なることとなったこと**（**相続税の課税価格が異なることとなった場合を除く。**）によりその申告又は決定に係る相続税額が**過大となったとき**は、その**事由が生じたことを知った日の翌日から４月以内**に限り、納税地の所轄税務署長に対し、**更正の請求をすることができる。**

3 国等に対して相続財産を贈与した場合等に係る申告の特則（措法70⑥⑦⑩）✤✤

(1) 修正申告の特則

国等に対して相続財産を贈与した場合等の相続税の非課税の規定の適用を受けて相続税の**期限内申告書を提出した者**（その者の相続人及び包括受遺者を含む。）は、同規定の適用を受けた財産についてその財産の贈与を受けた特定の公益法人等、認定特定非営利活動法人又は金銭を受け入れた特定公益信託が、その贈与があった日又はその受入れの日から**２年を経過した日までに**特定の公益法人等、認定特定非営利活動法人又は特定公益信託に**該当しないこととなった場合**、又はその贈与により取得した財産を**同日において**なおその**公益を目的とする事業の用に供していない場合**には、その**２年を経過した日の翌日から４月以内**に**修正申告書**を提出し、かつ、その期限内にその修正申告書の提出により納付すべき税額を**納付しなければならない。**

(2) 期限後申告の特則

国等に対して相続財産を贈与した場合等の**相続税の非課税の規定の適用を受けた者**は、同規定の適用を受けた財産についてその財産の贈与を受けた特定の公益法人等、認定特定非営利活動法人又は金銭を受け入れた特定公益信託が、その贈与があった日又はその受入れの日から**２年を経過した日までに**特定の公益法人等、認定特定非営利活動法人又は特定公益信託に**該当しないこととなった場合**、又はその贈与により取得した財産を**同日において**なおその**公益を目的とする事業の用に供していない場合**に伴いその財産の価額を相続税の課税価格に算入すべきこととなったことにより、相続税の**期限内申告書を提出すべきこととなった場合**には、その**２年を経過した日の翌日から４月以内**に**期限後申告書**を提出し、かつ、その期限内にその期限後申告書の提出により納付すべき税額を**納付しなければならない。**

4 住宅取得等資金に係る修正申告の特則 ✤✤

(1) 住宅取得等資金の贈与税の非課税の取消しに係る修正申告等（措法70の２④）

特定受贈者が贈与により住宅取得等資金の取得をした日の属する年の翌年３月15日後遅滞なく新築等をした住宅用家屋をその特定受贈者の居住の用に供することが確実であると見込まれることにより非課税の適用を受けた場合において、その住宅用家屋を**同年12月31日までに**その特定受贈者の**居住の用に供していなかったとき**は、**非課税は適用しない。**

この場合において、その特定受贈者は、**同年12月31日から２月以内**に、非課税の適用を受けた年分の贈与税についての**修正申告書**を提出し、かつ、その期限内にその修正申告書の提出により納付すべき税額を**納付しなければならない。**

⑵ 住宅取得等資金の相続時精算課税の特例の取消しに係る修正申告等（措法70の３④）

特定受贈者が贈与により住宅取得等資金の取得をした日の属する年の翌年３月15日後遅滞なく新築等をした住宅用家屋をその特定受贈者の居住の用に供することが確実であると見込まれることにより相続時精算課税選択届出書を提出していた場合において、その住宅用家屋を**同年12月31日までに**その特定受贈者の**居住の用に供していなかったとき**は、その**届出書を提出していなかったものとみなす**。

この場合において、その特定受贈者は、**同年12月31日から２月以内**に、特例の適用を受けた年分の贈与税についての**修正申告書**を提出し、かつ、その期限内にその修正申告書の提出により納付すべき税額を**納付しなければならない**。

5 医療法人に係る修正申告の特則（措法70の７の14②）✤✤

医療法人の持分の放棄があった場合の贈与税の課税の特例の規定の適用に係る贈与税の申告期限からその認定医療法人が新医療法人への移行をした日から起算して**６年を経過する日までの間**に、その認定が取り消された場合において、その認定医療法人は、その**認定が取り消された日の翌日から２月以内**に、その規定の適用を受けた年分の贈与税についての**修正申告書**を提出し、かつ、その期限内にその修正申告書の提出により納付すべき税額を**納付しなければならない**。

6 その他（措法70⑨⑩、70の２⑥一、70の３⑥一、70の７の14④）✤

租税特別措置法の特則の修正申告書又は期限後申告書で提出期限内に提出されたものについては、**期限内申告書とみなす**。

7 納 付（国通35②一、措法70⑥⑦、70の２④、70の３④、70の７の14②）✤

修正申告書又は期限後申告書を提出した者は、その**申告書を提出した日まで**又はその**申告書の提出期限内**に、その申告書に記載した相続税額又は贈与税額に相当する相続税又は贈与税を国に**納付しなければならない**。

コラム @ランダム

【贈与時の受贈者の住所が国内か国外かが争われた事件～その②～】（東京高裁 H20.1.23 判決）

《第二審判決までの経緯》

この事件は、X会社の経営者夫婦が保有していた国外所在のY子会社株式を、国外居住の子Aへ贈与したことに対し、贈与時の子Aの住所すなわち生活の本拠は日本国内にあったと認定、無申告加算税もあわせておよそ1,330億円にも及ぶ課税処分をしたことが発端となったものである。

この事件の最大の争点は、贈与時点において受贈者である子Aの住所が国内か否かであったが、当時における相続税法では、受贈者の住所が国外である場合には制限納税義務者に該当し、国外財産の贈与を受けても日本国においては無税とされていた。

そこで、納税者側が贈与時において住所は国外にあったと主張、前記課税処分の取消しを求めて提訴したところ、第一審（東京地裁）がその主張を認容して課税処分を取り消したため、国側が控訴していたという事案である。

なお、平成12年度の税制改正により、このような海外を利用した租税回避スキームも封じられたが、法律で規制される前の贈与に対する課税処分が妥当か否かという点も、第二審（東京高裁）では新たな問題として抱えていた。

《判決の要旨》

第二審（東京高裁）では、「住所すなわちその者の生活の本拠は、居住意思を総合して判断するのが相当である。」とした。

つまり、第一審（東京地裁）における「居住意思は住所判定において補充的な考慮要素である」ということを否定、居住意思（租税回避目的の海外居住）も住所判定における主要な要素と捉えたのである。

また、子Aは贈与税の課税を回避する目的で海外に出国するものであることを認識し、滞在日数も調整していたことなどの事実認定の上、国外滞在期間中も生活の本拠は国内にあったとして、第二審では課税処分を妥当とする逆転判決を下している。

なお、納税者側はこれを不服として上告、最高裁での最終決着を待つこととなった。

《講師の一言》

第一審の判決から一転、第二審での国側の逆転勝訴は、巷の関心を呼び、税務実務の現場でも盛んに議論がなされるきっかけとなりました。

最高裁での最終決着に向け、これまでの話のポイントをまとめてみますと、

① 租税回避目的の海外居住は、課税上「国内住所」とされてしまうのか。

② 改正前の事案について、改正後の法律を遡及適用し課税することが許されるのか。

以上の2点となります。

果たして、この最終決着がどのような結末を迎えるのか、大変気になるところです。

⇒ 最高裁の判決についてはP89へ

出題年度：H18・H21・H27　他4回

未分割遺産の取扱い及び分割後の申告等

1　未分割遺産に対する課税（法55）✤✤✤

相続若しくは包括遺贈により取得した財産に係る相続税について申告書を提出する場合又は更正若しくは決定をする場合において、その**相続又は包括遺贈により取得した財産の全部又は一部が共同相続人又は包括受遺者によってまだ分割されていないとき**は、その分割されていない財産については、各共同相続人又は包括受遺者が民法（寄与分を除く。）の規定による**相続分又は包括遺贈の割合に従って**その財産を**取得したものとしてその課税価格を計算する。**

ただし、その後においてその財産の分割があり、その共同相続人又は包括受遺者がその分割により取得した財産に係る課税価格が、その**相続分又は包括遺贈の割合に従って計算された課税価格と異なることとなった場合**においては、その**分割により取得した財産に係る課税価格を基礎**として、納税義務者において**申告書を提出**し、若しくは**更正の請求**をし、又は税務署長において**更正**若しくは**決定**をすることを**妨げない。**

2　配偶者に対する相続税額の軽減（法19の２②）✤✤✤

相続税の期限内申告書の提出期限（以下「申告期限」という。）までに、その相続又は遺贈により取得した財産の全部又は一部が共同相続人又は包括受遺者によってまだ**分割されていない場合**における配偶者に対する相続税額の軽減の規定の適用については、その分割されていない財産は、同規定の配偶者に係る相続税の課税価格に相当する金額の**課税価格の計算の基礎とされる財産に含まれない。**

ただし、その分割されていない財産が**申告期限から３年以内**（その期間内にその財産が分割されなかったことにつき、やむを得ない事情がある場合において、納税地の所轄税務署長の承認を受けたときは、その財産の分割ができることとなった日の翌日から４月以内）に**分割された場合**には、その分割された財産については、**この限りでない。**

3　相続税の課税価格の計算の特例（措法69の４④、69の５③）✤✤✤

小規模宅地等又は特定計画山林についての相続税の課税価格の計算の特例の規定は、相続税の申告期限までに共同相続人又は包括受遺者によって**分割されていない**特例対象宅地等又は特定計画山林については、**適用しない。**

ただし、その分割されていない特例対象宅地等又は特定計画山林が**申告期限から３年以内**（その期間内にその特例対象宅地等又は特定計画山林が分割されなかったことにつき、やむを得ない事情がある場合において、納税地の所轄税務署長の承認を受けたときは、その特例対象宅地等又は特定計画山林の分割ができることとなった日の翌日から４月以内）に**分割された場合**（特例対象宅地等が分割された場合については、特定計画山林についての相続税の課税価格の計算の特例の適用を受けている場合を除く。）には、その分割されたその特例対象宅地等又は特定計画山林については、**この限りでない**。

4　未分割遺産が分割された後の申告等 ✤✤✤

⑴　**期限後申告**（法30①）

申告期限後において**⑶①の事由**が生じたため**新たに期限内申告書を提出すべき要件に該当すること**となった者は、**期限後申告書**を**提出することができる**。

⑵　**修正申告**（法31①）

相続税の期限内申告書又は期限後申告書を提出した者（決定を受けた者を含む。）は、**⑶①の事由**が生じたため**既に確定した相続税額に不足を生じた場合**には、**修正申告書**を**提出することができる**。

⑶　**更正の請求**（法32①、措法69の４⑤、69の５⑥）

相続税について申告書を提出した者又は決定を受けた者は、次のいずれかの事由によりその申告又は決定に係る**課税価格及び相続税額が過大となったときは、各事由が生じたことを知った日の翌日から４月以内**に限り、納税地の所轄税務署長に対し、**更正の請求をすることができる**。

①　1の場合において、その後その財産の分割が行われ、共同相続人又は包括受遺者がその分割により取得した財産に係る課税価格がその**相続分又は包括遺贈の割合に従って計算された課税価格と異なることとなったこと**。

②　2に該当したことにより、その分割が行われた時以後において、配偶者に対する相続税額の軽減の規定を適用して計算した相続税額が、その時前において同規定を適用して計算した**相続税額と異なることとなったこと**（**①の場合を除く**。）。

③　3に該当したことにより、その分割が行われた時以後において、小規模宅地等又は特定計画山林についての相続税の課税価格の計算の特例の規定を適用して計算した相続税額がその時前において同規定を適用して計算した**相続税額と異なることとなったこと**（**①の場合を除く**。）。

出題年度：S30・S61・H12

連帯納付の義務

1 相続人等が２人以上いる場合の相続税（法34①） ✤✤✤

同一の被相続人から相続又は遺贈（相続時精算課税適用財産に係る贈与を含む。以下1及び2において同じ。）により財産を取得した全ての者は、その相続又は遺贈により取得した財産に係る相続税について、その相続又は遺贈により**受けた利益の価額に相当する金額を限度**として、**互いに**連帯納付の責めに任ずる。

ただし、次の区分に応じ、それぞれに定める相続税については、この限りでない。

⑴ 納税義務者の納付すべき相続税額に係る相続税について、期限内申告書の提出期限から**５年を経過する日までに**税務署長が連帯納付義務者に対し督促に係る**徴収の通知を発していない場合**におけるその連帯納付義務者

その**納付すべき相続税額**に係る相続税

⑵ 納税義務者が延納の許可を受けた場合におけるその納税義務者に係る連帯納付義務者

その**延納の許可を受けた相続税額**に係る相続税

⑶ 納税義務者の相続税について納税の猶予がされた場合におけるその納税義務者に係る連帯納付義務者

その**納税の猶予がされた相続税額**に係る相続税

2 死亡した者に係る相続税又は贈与税（法34②） ✤✤

同一の被相続人から相続又は遺贈により財産を取得した全ての者は、その被相続人に係る**相続税**又は**贈与税**について、その相続又は遺贈により**受けた利益の価額に相当する金額を限度**として、**互いに**連帯納付の責めに任ずる。

3 贈与等があった場合の相続税又は贈与税（法34③） ✤✤

相続税又は贈与税の課税価格計算の基礎となった財産につき**贈与**、**遺贈**若しくは**寄附行為**による移転があった場合においては、その贈与若しくは遺贈により財産を取得した者又はその寄附行為により設立された法人は、次の相続税又は贈与税について、その**受けた利益の価額に相当する金額を限度**として、連帯納付の責めに任ずる。

(1) 相続税

$$\left[\text{贈与等をした者のその財産を課税価格に算入した相続税額}\right] \times \frac{\text{その財産の価額}}{\text{相続税の課税価格に算入された財産の価額}}$$

(2) 贈与税

$$\left[\text{贈与等をした者のその財産を課税価格に算入した年分の贈与税額}\right] \times \frac{\text{その財産の価額}}{\text{贈与税の課税価格に算入された財産の価額}}$$

4 財産を贈与した場合の贈与税（法34④）✤✤

財産を贈与した者は、次の贈与税について、その**財産の価額に相当する金額を限度**として、連帯納付の責めに任ずる。

$$\left[\text{贈与により財産を取得した者のその財産を取得した年分の贈与税額}\right] \times \frac{\text{その財産の価額}}{\text{贈与税の課税価格に算入された財産の価額}}$$

● **連帯納付義務の履行を求める場合における税務署長の手続**

① 督促通知（法34⑤）

税務署長は、納税義務者の相続税につきその納税義務者に対し督促をした場合において、その相続税がその督促に係る督促状を発した日から１月を経過する日までに完納されないときは、その相続税に係る連帯納付義務者に対し、その相続税が完納されていない旨等を通知する。

② 督促に係る徴収の通知（法34⑥）

税務署長は、①による通知をした場合において、[1]により相続税を連帯納付義務者から徴収しようとするときは、その連帯納付義務者に対し、納付すべき金額等を記載した納付通知書による通知をしなければならない。

③ 連帯納付義務者への督促（法34⑦）

税務署長は、②による通知を発した日の翌日から２月を経過する日までにその通知に係る相続税が完納されない場合には、その通知を受けた連帯納付義務者に対し、督促をしなければならない。

7-8 申告・納付　　出題年度：なし

相続時精算課税等に係る贈与税の申告内容の開示等

1 開示請求 ✤✤

(1) 適用要件（法49①）

相続又は遺贈（相続時精算課税適用財産に係る贈与を含む。）により財産を取得した者は、その相続又は遺贈により財産を取得した**他の共同相続人等がある場合**には、相続税の**期限内申告書、期限後申告書**若しくは**修正申告書**の提出又は**更正の請求**に**必要となるとき**に限り、次に掲げる金額（他の共同相続人等が２人以上ある場合にあっては、全ての他の共同相続人等のその金額の合計額）について、その被相続人の死亡の時における住所地その他の一定の場所の所轄税務署長に**開示の請求をすることができる。**

① 他の共同相続人等がその被相続人から贈与により取得した次に掲げる加算対象贈与財産の区分に応じそれぞれ次に定める贈与税の課税価格に係る金額の合計額

イ **相続の開始前３年以内に取得した加算対象贈与財産**
贈与税の申告書に記載された贈与税の課税価格の合計額

ロ **イに掲げる加算対象贈与財産以外の加算対象贈与財産**
贈与税の申告書に記載された贈与税の課税価格の合計額から100万円を控除した残額

② 他の共同相続人等がその被相続人から贈与により取得した**相続時精算課税適用財産に係る**贈与税の申告書に記載された**相続時精算課税に係る贈与税の基礎控除後の贈与税の課税価格の合計額**

(2) 贈与税の課税価格（法49②）

(1)①②の贈与税について修正申告書の提出又は更正若しくは決定があった場合には、(1)①②の贈与税の課税価格は、その**修正申告書に記載された贈与税の課税価格**又はその**更正若しくは決定後の贈与税の課税価格**とする。

(3) 開示期限（法49③）

(1)の請求があった場合には、税務署長は、その請求をした者に対し、その請求後**２月以内**にその**開示をしなければならない。**

2 開示請求書（令27①③） ✤

1(1)の開示の請求をする者は、請求の対象とする**他の共同相続人等ごと**に、一定の事項を記載した開示請求書に一定の書類を添付し、これを1(1)の所轄税務署長に**提出しなければならない。**

なお、1(1)の請求は、その被相続人に係る相続の開始の日の属する年の**３月16日以後**にしなければならない。

コラム　@ランダム

【贈与時の受贈者の住所が国内か国外かが争われた事件～その③～】（最高裁 H23.2.18 判決）

《最高裁判決までの経緯》

この事件は、X会社の経営者夫婦から子Aへ贈与された国外所在のY子会社株式をめぐり、およそ1,330億円の課税処分を受けた納税者の子Aがその取消しを求めて争ったものである。

第一審（東京地裁）では納税者側の勝訴、第二審（東京高裁）では国側の勝訴となっており、最高裁にて最終決着を迎えることとなった。

《判決の要旨及び補足意見》

最高裁の判決において裁判長は「住所は、客観的に生活の本拠としての実体を具備しているか否かによって決めるべきものである」とし、さらに贈与前後の期間の3分の2を国外で過ごし、国外の現地法人にて業務に従事していたことなど事実認定の上で「租税回避目的があったとしても客観的な生活の実態が消滅するものではない」として、第一審同様、子Aについて贈与時の住所は国外であることを認定した。

なお、以下のことが補足意見としてある。

『納税は国民に義務を課すものであることからして、租税法律主義の下で課税要件は明確なものでなければならず、これを規定する条文は厳格な解釈が要求されるのである。明確な根拠が認められないのに、安易に拡張解釈、類推解釈、権利濫用法理の適用など特別の法解釈や特別の事実認定を行って、課税することは許されないというべきである。

そして、厳格な法解釈が求められる以上、解釈論には自ずから限界があり、法解釈によっては、不当な結論が不可避であるならば、立法によって解決を図るのが筋であって、裁判所としては、立法の域にまで踏み込むことはできない。後年の新たな立法を遡及適用して不利な義務を課すことも許されない。

結局、租税法律主義という憲法上の要請の下、法廷意見の結論は、一般的な法感情の観点からは少なからざる違和感も生じないではないけれども、やむを得ないところである。』

また、納税者側の逆転勝訴により、還付加算金およそ400億円を含め、合計2,000億円ほどの還付がなされた。

《講師の一言》

ついに納税者勝訴で決着が付いたわけですが、第一審同様、最高裁においても租税回避目的であることは認知しつつも、租税法律主義の下では限界があるという判決に至ったわけです。

なお、上記の補足意見には、「租税法律主義の下での課税要件明確主義」の精神が忠実に表れており、今回の事件における最高裁判決の価値は、この補足意見にあるとも言われています。

この判決後、さらに国際課税の強化が進められ、平成25年度・平成29年度の税制改正により、海外を利用した租税回避スキームは、封じ込まれることとなりました。それが現行の納税義務者の区分です。

8-1　納税猶予及び免除　出題年度：S61・H6・H10　他1回

農地等についての贈与税の納税猶予及び免除

1　適用要件（措法70の4①）✤✤✤

農業を営む個人である贈与者が、農地等をその贈与者の**推定相続人のうちの一人の者**に贈与した場合（その贈与者が既にこの規定の適用に係る贈与をしている場合を除く。）には、贈与税の期限内申告書の提出により納付すべき贈与税の額のうち、その**農地等に係る納税猶予分の贈与税額**に相当する贈与税については、**贈与税の申告期限までに**その贈与税額に相当する**担保を提供**した場合に限り、**贈与者の死亡の日まで**、その**納税を猶予する**。

2　相続時精算課税の適用除外（措法70の4③）✤

相続時精算課税適用者又は相続時精算課税選択届出書を提出する者が、特定贈与者から贈与により取得した農地等について[1]の適用を受ける場合には、その農地等については、**相続時精算課税の規定は、適用しない**。

3　手　続（措法70の4㉖㉗㉘）✤✤✤

⑴　[1]の規定は、**贈与税の期限内申告書**に、この規定の適用を受けようとする旨その他一定の事項を記載した書類を**添付しない場合**には、**適用しない**。

⑵　[1]の適用を受ける受贈者は、**税務署長がやむを得ない事情があると認める場合を除き**、納税猶予分の贈与税の全部につき納税猶予期限が確定するまでの間、**贈与税の申告期限の翌日から起算して3年を経過するごとの日までに**、**継続届出書**を納税地の所轄税務署長に**提出しなければならない**。

4　納税猶予額（措令40の6⑧）✤

農地等の贈与があった日の属する年分の納付すべき贈与税額から、その農地等の**贈与がなかったものとして計算**した場合のその年分の納付すべき贈与税額を控除した金額とする。

5 **納税猶予期限**（措法70の4①④⑤㉚）✤✤✤

⑴ **原　則**

贈与者の死亡の日

⑵ **特　則**

① 全部打ち切りの場合

その贈与者の死亡の日前に次のいずれかに該当することとなった場合には、それぞれに定める日から**2月を経過する日**（ただし、ニの場合にはその日）

イ　農地等の**20%を超える譲渡等**（収用等を除く。）があった場合

…**譲渡等があった日**

ロ　**農業経営を廃止**した場合…**廃止の日**

ハ　贈与者の**推定相続人に該当しない**こととなった場合

…**該当しないこととなった日**

ニ　納税猶予の適用を受けることを**やめる旨を記載した届出書を提出**した場合

…**届出書の提出があった日**

ホ　**継続届出書が提出期限までに提出されない**場合…**提出期限の翌日**

② 一部打ち切りの場合

贈与者の死亡の日前に次のいずれかに該当することとなった場合には、納税猶予分の贈与税額のうち一定の贈与税については、それぞれに定める日から**2月を経過する日**

イ　農地等の**20%以内の譲渡等**があった場合…**譲渡等があった日**

ロ　農地等の**収用等による譲渡等**があった場合…**譲渡等があった日**

ハ　**申告期限後10年を経過する日**において納税猶予の適用を受ける準農地のうちに**農業の用に供されていない**ものがある場合…**10年を経過する日の翌日**

ニ　農地等が都市営農農地等である場合において、生産緑地法の規定による**買取りの申出等**があったとき…**買取りの申出等があった日の翌日**

ホ　農地等が都市計画法の規定に基づく**特定市街化区域農地等に該当**することとなった場合（田園住居地域内にある農地でなくなった場合を除く。）

…**告示があった日等の翌日**

6 **贈与税の免除**（措法70の4㉞）✤✤✤

1 の場合において、**贈与者が死亡**したとき又はその**贈与者の死亡の時以前に受贈者が死亡**したときは、納税猶予分の贈与税は、**免除する**。

7 営農困難時貸付け（措法70の４㉒㉔）✤

1の適用を受ける受贈者が、**障害**、**疾病**その他の事由により1の適用を受ける農地等についてその受贈者の農業の用に供することが困難な状態となった場合（特定貸付けができない場合に限る。）において、**営農困難時貸付け**を行ったときは、**税務署長がやむを得ない事情があると認める場合を除き**、その営農困難時貸付けを行った日から**２月以内**に、一定の**届出書を納税地の所轄税務署長に提出したとき**に限り、その営農困難時貸付けを行った農地等に係る**権利設定はなかった**ものと、農業経営は**廃止していないものとみなす**。

8 特定貸付け（措法70の４の２①⑥）✤

猶予適用者が、贈与者の死亡の日前に1の適用を受ける農地等のうち農地又は採草放牧地の全部又は一部について**特定貸付け**を行い、**税務署長がやむを得ない事情があると認める場合を除き**、その特定貸付けを行った日から**２月以内**に、一定の**届出書を納税地の所轄税務署長に提出した場合**には、その特定貸付けを行ったその農地又は採草放牧地に係る**賃借権等の設定はなかった**ものと、農業経営は**廃止していないものとみなす**。

9 農地等の贈与者が死亡した場合の相続税の課税の特例（措法70の５①）✤✤

農地等の贈与税の納税猶予があった場合において、その贈与税に係る農地等の**贈与者が死亡**したとき（その死亡の時以前に受贈者が死亡した場合を除く。）は、その贈与者の死亡に係る相続税については、その受贈者がその農地等をその贈与者から**相続**（その受贈者が相続を放棄した場合には、**遺贈**）により**取得したものとみなす**。

この場合において、相続税の課税価格の計算の基礎に算入すべきその農地等の価額は、その**死亡の日における価額**による。

出題年度：H11・H16・H18 他3回

農地等についての相続税の納税猶予及び免除

1 適用要件（措法70の６①）✤✤✤

農業を営んでいた個人の相続人（以下「**農業相続人**」という。）が、相続又は遺贈により農地等の取得（農地等の贈与者が死亡した場合の**相続税の課税の特例**により相続又は遺贈により取得したとみなされる場合の取得を含む。以下同じ。）をした場合には、相続税の期限内申告書の提出により納付すべき相続税の額のうち、**特例農地等に係る納税猶予分の相続税額**に相当する相続税については、**相続税の申告期限までに**その相続税額に相当する**担保を提供**した場合に限り、**納税猶予期限まで**、その**納税を猶予する**。

2 未分割である場合（措法70の６⑤）✤✤

相続税の申告期限までに、農地等の全部又は一部が共同相続人又は包括受遺者によって**まだ分割されていない**場合における1の適用については、その分割されていない農地等は、相続税の申告書に1の**適用を受ける旨の記載をすることができない**。

3 手　続（措法70の６㉛㉜㉝）✤✤✤

⑴　1の規定は、**相続税の期限内申告書**に、この規定の適用を受けようとする旨の**記載がない**場合又は一定の書類の**添付がない場合**には、**適用しない**。

⑵　1の適用を受ける農業相続人は、**税務署長がやむを得ない事情があると認める場合を除き**、納税猶予分の相続税の全部につき納税猶予期限が確定するまでの間、**相続税の申告期限の翌日から起算して３年を経過するごとの日までに**、**継続届出書**を納税地の所轄税務署長に**提出しなければならない**。

4 納税猶予額（措法70の６②④）✤

次の⑴の金額から⑵の金額を控除した金額とする。

⑴　相続又は遺贈により財産を取得した全ての者に係る**相続税の総額**

⑵　その全ての者に係る相続税の課税価格（生前贈与加算額及び相続時精算課税適用財産の価額を加算した後の相続税の課税価格とみなされた金額。）に算入すべき特例農地等の価額は、**農業投資価格を基準として計算した価額**であるものとして算出したその全ての者に係る相続税の総額

5 納税猶予期限（措法70の6①⑥⑦⑧㉟）✤✤✤

(1) 原　則

① 次の農業相続人の区分に応じ、それぞれに定める日をいう。

イ **都市営農農地等**を有する農業相続人…**死亡の日**

ロ **生産緑地等**を有する農業相続人（イを除く。）…**死亡の日**又は一定の日

ハ **市街化区域内農地等以外のもの**を有する農業相続人（イ及びロを除く。）…**死亡の日**又は一定の日

ニ 特例農地等の**全てが市街化区域内農地等**である農業相続人（イ及びロを除く。）…**死亡の日**又は相続税の申告期限の翌日から**20年を経過する日**の**いずれか早い日**

② ①の日前に特例農地等の**全部**につき農地等の贈与税の納税猶予の適用に係る贈与があった場合…**贈与があった日**

③ ①の日前に特例農地等の**一部**につき農地等の贈与税の納税猶予に係る贈与があった場合

イ その贈与があった部分に係る相続税…**贈与があった日**

ロ その贈与がなかった部分に係る相続税…贈与があった日から**2月を経過する日**

(2) 特　則

① 全部打ち切りの場合

(1)に掲げる日のいずれか早い日前に次のいずれかに該当することとなった場合には、それぞれに定める日から**2月を経過する日**

イ 農地等の**20%を超える譲渡等**（収用等を除く。）があった場合…**譲渡等があった日**

ロ **農業経営を廃止**した場合…**廃止の日**

ハ **継続届出書**が提出期限までに**提出されない**場合…**提出期限の翌日**

② 一部打ち切りの場合

(1)に掲げる日のいずれか早い日前に次のいずれかに該当することとなった場合には、納税猶予分の相続税額のうち一定の相続税については、それぞれに定める日から**2月を経過する日**

イ 農地等の**20%以内の譲渡等**があった場合…**譲渡等があった日**

ロ 農地等の**収用等による譲渡等**があった場合…**譲渡等があった日**

ハ **申告期限後10年を経過する日**において納税猶予の適用を受ける準農地のうちに**農業の用に供されていない**ものがある場合…**10年を経過する日の翌日**

ニ 農地等が都市営農農地等である場合において、生産緑地法の規定による**買取りの申出等**があったとき…**買取りの申出等があった日の翌日**

ホ 農地等が都市計画法の規定に基づく**特定市街化区域農地等に該当**することとなった場合（田園住居地域内にある農地でなくなった場合を除く。）…**告示があった日等の翌日**

6 相続税の免除（措法70の６㊴）✤✤✤

農業相続人が次の場合（都市営農農地等を有する農業相続人にあっては、(1)から(3)まで。）のいずれかに該当することとなったときは、一定の相続税は、**免除する。**

(1) **農業相続人が死亡**した場合
(2) 特例農地等の**全部**につき**農地等の贈与税の納税猶予に係る贈与**をした場合
(3) 特例農地等の**一部**につき**農地等の贈与税の納税猶予に係る贈与**をした場合
(4) 相続税の申告期限の翌日から**20年を経過**した場合

7 営農困難時貸付け（措法70の６㉘）✤

1の適用を受ける農業相続人が、**障害**、**疾病**その他の事由により1の適用を受ける特例農地等についてその農業相続人の農業の用に供することが困難な状態となった場合（特定貸付けができない場合に限る。）において、**営農困難時貸付け**を行ったときは、**税務署長がやむを得ない事情があると認める場合を除き**、その営農困難時貸付けを行った日から**２月以内**に、一定の**届出書を納税地の所轄税務署長に提出したとき**に限り、その営農困難時貸付けを行った特例農地等に係る**権利設定はなかった**ものと、農業経営は**廃止していないものとみなす。**

8 特定貸付け（措法70の６の２①③）✤

猶予適用者が、納税猶予期限までに特例農地等（市街化区域内農地等を除く。）のうち農地又は採草放牧地の全部又は一部について**特定貸付け**を行い、**税務署長がやむを得ない事情があると認める場合を除き**、その特定貸付けを行った日から**２月以内**に、一定の**届出書を納税地の所轄税務署長に提出した場合**には、その特定貸付けを行ったその農地又は採草放牧地に係る**賃借権等の設定はなかった**ものと、農業経営は**廃止していないものとみなす。**

9 都市農地貸付け（措法70の６の４①③）✤

猶予適用者が、納税猶予期限までに特例農地等（生産緑地地区内にある農地で買取りの申出等がされたものを除く。）の全部又は一部について**認定都市農地貸付け**又は**農園用地貸付け**を行い、**税務署長がやむを得ない事情があると認める場合を除き**、これらの貸付けを行った日から**２月以内**に、一定の**届出書を納税地の所轄税務署長に提出した場合**には、これらの貸付けを行ったその特例農地等に係る**賃借権等の設定はなかった**ものと、農業経営は**廃止していないものとみなす。**

出題年度：なし

山林についての相続税の納税猶予及び免除

1 適用要件（措法70の6の6①）✤✤✤

特定森林経営計画が定められている区域内に存する山林（立木又は土地をいう。以下同じ。）を有していた被相続人から相続又は遺贈により特例施業対象山林の取得をした**林業経営相続人**が、相続税の期限内申告書の提出により納付すべき相続税の額のうち、**特例山林に係る納税猶予分の相続税額**に相当する相続税については、**相続税の申告期限**までにその相続税額に相当する**担保を提供**した場合に限り、**林業経営相続人の死亡の日まで**、その**納税を猶予**する。

2 未分割である場合（措法70の6の6⑧）✤✤

相続税の申告期限までに、山林の全部又は一部が共同相続人又は包括受遺者によって**まだ分割されていない**場合には、**適用しない**。

3 適用除外（措法70の6の6⑨）✤✤

[1]の規定は、[1]の相続に係る被相続人から相続又は遺贈により財産の取得をした者がその財産について特定計画山林についての相続税の課税価格の計算の特例の適用を受けた場合又は受けようとする場合には、**適用しない**。

4 手　続（措法70の6の6⑩⑪⑱）✤✤✤

(1)　[1]の規定は、**相続税の期限内申告書**に、この規定の適用を受けようとする旨の**記載がない**場合又は一定の書類の**添付がない**場合には、**適用しない**。

(2)　[1]の適用を受ける林業経営相続人は、**税務署長がやむを得ない事情があると認める場合を除き**、納税猶予分の相続税の全部につき納税猶予期限が確定する日までの間、**届出期限までに**、**継続届出書**を納税地の所轄税務署長に**提出しなければならない**。

5 納税猶予額（措法70の6の6②）✤

次の(1)の金額から(2)の金額を控除した残額とする。

(1)　**特例山林の価額**を林業経営相続人に係る**相続税の課税価格とみなして**計算したその林業経営相続人の相続税の額

(2)　**特例山林の価額に** $\frac{20}{100}$ を乗じて計算した金額を林業経営相続人に係る**相続税の課税価格とみなして**計算したその林業経営相続人の相続税の額

6　納税猶予期限（措法70の６の６①③④⑬）✤✤✤

⑴　原　則

林業経営相続人の死亡の日

⑵　特　則

①　全部打ち切りの場合

林業経営相続人の死亡の日前に次のいずれかに該当することとなった場合には、それぞれに定める日から**２月を経過する日**

イ　特例山林の**経営が適正かつ確実に行われていない**場合

…**農林水産大臣等から納税地の所轄税務署長にその旨の通知があった日**

ロ　特例山林の**20%を超える譲渡等**（収用等を除く。）があった場合

…**農林水産大臣等から納税地の所轄税務署長にその旨の通知があった日**

ハ　特例山林の**経営を廃止**した場合…**廃止の日**

ニ　**継続届出書**が届出期限までに**提出されない**場合…**届出期限の翌日**

②　一部打ち切りの場合

林業経営相続人の死亡の日前に特例山林の**一部の譲渡等**があった場合（①ロの場合を除く。）には、**農林水産大臣等から納税地の所轄税務署長にその旨の通知があった日**日から**２月を経過する日**

7　相続税の免除（措法70の６の６⑰）✤✤✤

林業経営相続人が死亡した場合には、猶予中相続税額に相当する相続税を**免除する。**

8　経営委託（措法70の６の６⑥）✤

1 の適用を受ける林業経営相続人が、**障害、疾病**等の事由により特例山林について経営を行うことが**困難な状態**となった場合において、その特例山林の全部の経営をその林業経営相続人の**推定相続人**で一定の者に**経営委託**をしたときは、その経営委託をした日から**２月以内**に、その経営委託をした旨の届出書を納税地の所轄税務署長に提出したときに限り、その経営委託をした特例山林に係る山林の経営は、**廃止していないものとみなす。**

出題年度：なし

特定の美術品についての相続税の納税猶予及び免除

1 適用要件（措法70の６の７①）✤✤✤

寄託先美術館の設置者と特定美術品の寄託契約を締結し、**認定保存活用計画**に基づきその特定美術品をその**寄託先美術館の設置者に寄託していた者**から相続又は遺贈によりその特定美術品を取得した**寄託相続人**が、その特定美術品のその寄託先美術館の設置者への**寄託を継続**する場合には、相続税の期限内申告書の提出により納付すべき相続税の額のうち、その**特定美術品に係る納税猶予分の相続税額**に相当する相続税については、**相続税の申告期限までに**その相続税額に相当する**担保を提供**した場合に限り、**寄託相続人の死亡の日まで**、その**納税を猶予する**。

2 未分割である場合（措法70の６の７⑦）✤✤

相続税の申告期限までに、特定美術品が共同相続人又は包括受遺者によってまだ**分割されていない**場合における[1]の適用については、その分割されていない特定美術品は、相続税の申告書に[1]の**適用を受ける旨の記載をすることができない**。

3 手　続（措法70の６の７⑧⑨⑮）✤✤✤

(1) [1]の規定は、**相続税の期限内申告書**に、この規定の適用を受けようとする旨の**記載がない**場合又は一定の書類の**添付がない**場合には、**適用しない**。

(2) [1]の適用を受ける寄託相続人は、**税務署長がやむを得ない事情があると認める場合を除き**、納税猶予分の相続税の全部につき納税猶予期限が確定する日までの間、**相続税の申告期限の翌日から起算して３年を経過するごとの日までに、継続届出書**に一定の書類を添付して、これを納税地の所轄税務署長に**提出しなければならない**。

4 納税猶予額（措法70の６の７②）✤

次の(1)の金額から(2)の金額を控除した金額とする。

(1) **特定美術品の価額**を寄託相続人に係る**相続税の課税価格とみなして**計算したその寄託相続人の相続税の額

(2) **特定美術品の価額に $\frac{20}{100}$** を乗じて計算した金額を寄託相続人に係る**相続税の**課税価格とみなして計算したその寄託相続人の相続税の額

5 納税猶予期限（措法70の6の7①③⑪）✤✤✤

⑴ **原　則**

寄託相続人の死亡の日

⑵ **特　則**

寄託相続人、特定美術品又は寄託先美術館について次のいずれかに該当することとなった場合には、それぞれに定める日から**2月を経過する日**

① 寄託相続人が特定美術品を**譲渡**した場合（その特定美術品をその寄託先美術館の設置者に贈与した場合を除く。）

…文化庁長官からの通知をその寄託相続人の納税地の所轄税務署長が受けた日

② 特定美術品が**滅失**（災害による滅失を除く。）をし、又は寄託先美術館において**亡失**し、若しくは**盗み取られた**場合

…文化庁長官からの通知をその寄託相続人の納税地の所轄税務署長が受けた日

③ 特定美術品に係る**寄託契約の契約期間が終了**をした場合**…終了の日**

④ 特定美術品に係る**認定保存活用計画の認定が取り消された**場合

…認定が取り消された日

⑤ 特定美術品に係る認定保存活用計画の計画期間が満了した日から4月を経過する日において**新たな認定を受けていない**場合

…計画期間が満了した日から4月を経過する日

⑥ 特定美術品について、**重要文化財の指定が解除された**場合又は**登録有形文化財の登録が抹消された**場合（災害による滅失に基因して解除され、又は抹消された場合を除く。）**…指定が解除された日**又は**登録が抹消された日**

⑦ 寄託先美術館について、**登録を取り消された**場合又は**登録を抹消された**場合

…登録を取り消された日又は**登録を抹消された日**

⑧ **継続届出書が届出期限までに提出されない**場合**…届出期限の翌日**

6 相続税の免除（措法70の6の7⑭）✤✤✤

寄託相続人が死亡した場合、寄託相続人が特定美術品を寄託している**寄託先美術館の設置者に**その特定美術品の**贈与をした**場合又は特定美術品が**災害により滅失した**場合（これらの場合に該当することとなった日前に5⑵に該当することとなった場合を除く。）には、その特定美術品に係る納税猶予分の相続税額に相当する相続税は、**免除する。**

出題年度：なし

個人の事業用資産についての贈与税の納税猶予及び免除

1 適用要件（措法70の６の８①）✤✤✤

特定事業用資産を有していた個人である贈与者（既にこの規定の適用に係る贈与をしているものを除く。以下同じ。）が**特例事業受贈者**にその事業に係る**特定事業用資産の全て**（その特定事業用資産の全部又は一部が数人の共有に属する場合には、その贈与者以外の者が有していた共有持分に係る部分を除く。）の贈与（**平成31年１月１日から令和10年12月31日まで**の間の贈与で、最初のこの規定の適用に係る贈与及びその贈与の日その他一定の日から１年を経過する日までの贈与に限る。）をした場合には、贈与税の期限内申告書の提出により納付すべき贈与税の額のうち、**特例受贈事業用資産に係る納税猶予分の贈与税額**に相当する贈与税については、**贈与税の申告期限までに**その贈与税額に相当する**担保を提供**した場合に限り、**贈与者の死亡の日まで**、その**納税を猶予する。**

2 適用除外（措法70の６の８⑦）✤✤

1の規定は、贈与者から贈与により取得をした特定事業用資産に係る事業と**同一の事業の用に供される資産**について、1の適用を受けている若しくは受けようとする**他の特例事業受贈者**又は個人の事業用資産についての相続税の納税猶予及び免除の規定の適用を受けている**他の特例事業相続人等**がいる場合には、その特定事業用資産については、**適用しない。**

3 手　続（措法70の６の８⑧⑨⑮）✤✤✤

⑴　1の規定は、**贈与税の期限内申告書**に、この規定の適用を受けようとする旨の**記載がない**場合又は一定の書類の**添付がない**場合には、**適用しない。**

⑵　1の適用を受ける特例事業受贈者は、**税務署長がやむを得ない事情があると認める場合を除き**、納税猶予分の贈与税の全部につき納税猶予期限が確定する日までの間、**届出期限までに**、**継続届出書**を納税地の所轄税務署長に**提出しなければならない。**

4　納税猶予額（措法70の６の８②）✤

特例受贈事業用資産の価額を特例事業受贈者に係るその年分の**贈与税の課税価格とみなして**暦年課税又は相続時精算課税の適用により計算した贈与税の額とする。

5　納税猶予期限（措法70の６の８①③④⑤⑥⑪）✤✤✤

⑴　原　則

贈与者の死亡の日

⑵　特　則

特例事業受贈者、特例受贈事業用資産又はその特例受贈事業用資産に係る事業について次のいずれかに該当することとなった場合には、それぞれに定める日から**２月を経過する日**

①　**事業を廃止**した場合又は**破産手続開始の決定**があった場合
…**事業を廃止した日**又は**決定があった日**

②　**資産保有型事業等に該当**することとなった場合…**該当することとなった日**

③　その年の事業に係る事業所得の**総収入金額が零**となった場合…**その年の12月31日**

④　**特例受贈事業用資産の全て**がその年の事業所得に係る**青色申告書の貸借対照表に計上されなくなった**場合…**その年の12月31日**

⑤　**青色申告の承認を取り消された**場合又は**青色申告書の提出をやめる旨の届出書を提出した**場合…**承認が取り消された日**又は**届出書の提出があった日**

⑥　納税猶予の適用を受けることを**やめる旨を記載した届出書を提出**した場合
…**届出書の提出があった日**

⑦　特例受贈事業用資産の全部又は一部が特例事業受贈者の**事業の用に供されなくなった**場合(①から⑥に該当する場合、その事業の用に供することが困難になった場合として一定の場合、特例受贈事業用資産に係る買換え特例及び法人化特例の場合を除く。)
…**事業の用に供されなくなった日**

⑧　**継続届出書が届出期限までに提出されない**場合…**届出期限の翌日**

6 贈与税の届出免除（措法70の６の８⑭⑮）✤✤✤

次のいずれかに該当することとなった場合には、一定の贈与税を**免除する**。この場合において、**特例事業受贈者**又はその**相続人**（**包括受遺者**を含む。）は、**税務署長がやむを得ない事情があると認める場合を除き、免除届出期限までに**一定の事項を記載した**免除届出書**を納税地の所轄税務署長に**提出しなければならない。**

⑴　贈与者の死亡の時以前に**特例事業受贈者が死亡**した場合

⑵　**贈与者が死亡**した場合

⑶　**特定申告期限**（最初の[1]の適用に係る贈与税の申告期限又は最初の個人の事業用資産についての相続税の納税猶予及び免除の規定の適用に係る相続税の申告期限のいずれか早い日をいう。）**の翌日から５年を経過する日後**に、特例事業受贈者が**特例受贈事業用資産の全て**につき[1]**に係る贈与**をした場合

⑷　特例事業受贈者がその有する特例受贈事業用資産に係る**事業を継続することができなくなった**場合（身体障害等のやむを得ない理由がある場合に限る。）

7 贈与税の申請免除（措法70の６の８⑯⑰⑱）✤

次のいずれかに該当することとなった場合において、**特例事業受贈者**は、一定の贈与税の免除を受けようとするときは、**免除申請期限までに**一定の事項を記載した**免除申請書**を納税地の所轄税務署長に**提出しなければならない。**

⑴　**特例受贈事業用資産の全てを譲渡等**した場合又は特例事業受贈者について**破産手続開始の決定**があった場合

⑵　**事業の継続が困難**な一定の事由が生じた場合において、**特例受贈事業用資産の全てを譲渡等**したとき又はその特例受贈事業用資産に係る**事業を廃止**したとき

⑶　**民事再生計画の認可の決定**があった場合において、特例事業受贈者の有する資産につき一定の評定が行われたとき

8 個人の事業用資産の贈与者が死亡した場合の相続税の課税の特例（措法70の６の９①）✤✤

特例事業受贈者に係る**贈与者が死亡**した場合（その死亡の時以前にその特例事業受贈者が死亡した場合を除く。）には、その贈与者の死亡による相続又は遺贈に係る相続税については、その特例事業受贈者がその贈与者から**相続**（その特例事業受贈者がその贈与者の相続人以外の者である場合には、**遺贈**）により特例受贈事業用資産の**取得をしたものとみなす。**

この場合において、その相続税の課税価格の計算の基礎に算入すべきその特例受贈事業用資産の価額については、その**贈与の時における価額**による。

〈②理論学習法〉
～本試験の出題パターンを知ろう～

相続税・贈与税の規定には、長くて読みにくい文章も少なくありません。
1文が何行にも渡り、同じような言葉が何度も繰り返し出てくることもよくあるため、理解するだけでも一苦労。これを1字1句正確に覚えることは、至難の業です。

「1字1句正確に書けないと合格できないの？」
結論から言えば、1字1句正確に書かなくても合格はできます！
本試験の出題パターンによっては、規定の暗記力よりもその理解力や説明力の方が重視されます。
そこで、どのように理論を解答していけば合格点がとれるのか、本試験の主な3つの出題パターンを見ていきましょう。

パターン1 個別理論（条文内容をそのまま解答するもの）

ひと昔前の本試験では、このパターンが主流でした。ある規定について単純に説明することを要求されているため、規定の暗記力の正確性が合格に直結する理論問題です。
最近の本試験では、再びこのパターンで出題されることも増えてきています。

パターン2 応用理論（該当する規定を列挙し、条文内容を要約して解答するもの）

最近の本試験で多いパターンです。あるテーマに対する関連規定の繋がりを要求されているため、暗記力以上に理解力が合格に必要となる理論問題です。複数の規定を漏れなく列挙することが最優先され、その上で各規定の内容を説明します。そのため解答範囲が広い場合には、時間配分を考慮し、必要に応じて各規定の内容を要約して解答を作成します。その要約テクニックは次の〈③理論学習法〉でも紹介しています。
なお、この応用理論では、テーマごとに類似した問題が繰り返し本試験で出題されています。

パターン3 事例理論（事例に対する概要説明と条文内容を組み合わせて解答するもの）

最近の本試験では、理論問題の問2で多く出題されるパターンです。ある規定について想定される状況が事例形式により出題され、その状況の把握力に加え、規定の具体的説明力が合格に必要となる理論問題です。解答要求事項は、概要説明や適用の可否・理由、課税価格や割合など、多岐に渡ります。
裏を返せば、根拠となる条文内容をただ書いただけでは解答として不十分であり、その具体的説明を添えることでようやく解答として体をなすといったものです。逆に、説明が十分なされていれば、根拠となる条文内容が要約されていようとも、合格点をとれる可能性があります。

P55 ☜〈①理論学習法〉　〈③理論学習法〉☞ P107

出題年度：なし

個人の事業用資産についての相続税の納税猶予及び免除

1 適用要件（措法70の６の10①㉚）✤✤✤

特定事業用資産を有していた被相続人から相続又は遺贈によりその事業に係る**特定事業用資産の全て**（その特定事業用資産の全部又は一部が数人の共有に属する場合には、その被相続人以外の者が有していた共有持分に係る部分を除く。）の取得（**平成31年１月１日から令和10年12月31日まで**の間の取得で、最初のこの規定の適用に係る相続又は遺贈による取得及びその取得の日その他一定の日から１年を経過する日までの相続又は遺贈による取得に限り、個人の事業用資産の贈与者が死亡した場合の**相続税の課税の特例**により相続又は遺贈により取得したとみなされる場合の取得を含む。）をした**特例事業相続人等**が、相続税の期限内申告書の提出により納付すべき相続税の額のうち、**特例事業用資産に係る納税猶予分の相続税額**に相当する相続税については、**相続税の申告期限までに**その相続税額に相当する**担保を提供**した場合に限り、**特例事業相続人等の死亡の日まで**、その**納税を猶予する**。

2 未分割である場合（措法70の６の10⑦）✤✤

相続税の申告期限までに、被相続人の事業の用に供されていた資産の全部又は一部が共同相続人又は包括受遺者によって**まだ分割されていない**場合における［1］の適用については、その分割されていない資産は、相続税の申告書に［1］の**適用を受ける旨の記載をすることができない**。

3 適用除外（措法70の６の10⑧）✤✤

［1］の規定は、被相続人から相続又は遺贈により取得をした特定事業用資産に係る事業と**同一の事業の用に供される資産**について、［1］の適用を受けている若しくは受けようとする**他の特例事業相続人等**又は個人の事業用資産についての贈与税の納税猶予及び免除の規定の適用を受けている**他の特例事業受贈者**がいる場合には、その特定事業用資産については、**適用しない**。

4 手　続（措法70の６の10⑨⑩⑯）✤✤✤

⑴　［1］の規定は、**相続税の期限内申告書**に、この規定の適用を受けようとする旨の**記載がない**場合又は一定の書類の**添付がない**場合には、**適用しない**。

⑵　［1］の適用を受ける特例事業相続人等は、**税務署長がやむを得ない事情があると認める場合を除き**、納税猶予分の相続税の全部につき納税猶予期限が確定する日までの間、**届出期限までに**、**継続届出書**を納税地の所轄税務署長に**提出しなければならない**。

5　納税猶予額（措法70の６の10②）✤

特例事業用資産の価額を特例事業相続人等に係る**相続税の課税価格とみなして**計算したその特例事業相続人等の相続税の額とする。

6　納税猶予期限（措法70の６の10①③④⑤⑥⑫）✤✤✤

⑴　**原　則**

特例事業相続人等の死亡の日

⑵　**特　則**

特例事業相続人等、特例事業用資産又はその特例事業用資産に係る事業について次のいずれかに該当することとなった場合には、それぞれに定める日から**２月を経過する日**

①　**事業を廃止**した場合又は**破産手続開始の決定**があった場合
…**事業を廃止した日**又は**決定があった日**

②　**資産保有型事業等に該当**することとなった場合…**該当することとなった日**

③　その年の事業に係る事業所得の**総収入金額が零**となった場合…**その年の12月31日**

④　**特例事業用資産の全て**がその年の事業所得に係る**青色申告書の貸借対照表に計上されなくなった**場合…**その年の12月31日**

⑤　**青色申告の承認を取り消された**場合又は**青色申告書の提出をやめる旨の届出書を提出した**場合…**承認が取り消された日**又は**届出書の提出があった日**

⑥　納税猶予の適用を受けることを**やめる旨を記載した届出書**を提出した場合
…**届出書の提出があった日**

⑦　**青色申告の承認を受ける見込み**であることにより納税猶予の適用を受けた場合において、その**承認の申請が却下された**とき…**申請が却下された日**

⑧　特例事業用資産の全部又は一部が特例事業相続人等の**事業の用に供されなくなった**場合（①から⑦に該当する場合、その事業の用に供することが困難になった場合として一定の場合、特例事業用資産に係る買換え特例及び法人化特例の場合を除く。）
…**事業の用に供されなくなった日**

⑨　**継続届出書が届出期限までに提出されない**場合…**届出期限の翌日**

7 相続税の届出免除（措法70の6の10⑮⑯）✤✤✤

次のいずれかに該当することとなった場合には、一定の相続税を**免除する**。この場合において、**特例事業相続人等**又はその**相続人**（**包括受遺者**を含む。）は、**税務署長がやむを得ない事情があると認める場合を除き**、**免除届出期限までに**一定の事項を記載した**免除届出書**を納税地の所轄税務署長に**提出しなければならない**。

⑴ **特例事業相続人等が死亡**した場合

⑵ **特定申告期限**（最初の1の適用に係る相続税の申告期限又は最初の個人の事業用資産についての贈与税の納税猶予及び免除の規定の適用に係る贈与税の申告期限のいずれか早い日をいう。）**の翌日から５年を経過する日後**に、特例事業相続人等が**特例事業用資産の全て**につき**個人の事業用資産について贈与税の納税猶予及び免除に係る贈与**をした場合

⑶ 特例事業相続人等がその有する特例事業用資産に係る**事業を継続することができなくなった**場合（身体障害等のやむを得ない理由がある場合に限る。）

8 相続税の申請免除（措法70の6の10⑰⑱⑲）✤

次のいずれかに該当することとなった場合において、**特例事業相続人等**は、一定の相続税の免除を受けようとするときは、**免除申請期限までに**一定の事項を記載した**免除申請書**を納税地の所轄税務署長に**提出しなければならない**。

⑴ **特例事業用資産の全てを譲渡等**した場合又は特例事業相続人等について**破産手続開始の決定**があった場合

⑵ **事業の継続が困難**な一定の事由が生じた場合において、**特例事業用資産の全てを譲渡等**したとき又はその特例事業用資産に係る**事業を廃止**したとき

⑶ **民事再生計画の認可の決定**があった場合において、特例事業相続人等の有する資産につき一定の評定が行われたとき

● **特定事業用資産**

特定事業用資産とは、被相続人又は贈与者の事業（不動産貸付業等を除く。）の用に供されていた資産のうち、相続開始年又は贈与年の前年分の事業所得に係る青色申告書の貸借対照表に計上されている以下のものをいいます。

① 宅地等（400㎡まで※）

② 建物（床面積800㎡まで）

③ 減価償却資産（②を除く）

※ 特定事業用宅地等以外について小規模宅地等の特例を受けた場合には、調整後の400㎡に満たない部分の面積に限り、相続税の納税猶予を受けることができます。

〈③理論学習法〉
～文章を要約・省略しよう～

相続税の理論問題は、近年、解答範囲が広いことも多く「書くべき内容が多すぎて時間内に書き切れない…」という読者や受講生からの相談を受けることがよくあります。〈②理論学習法〉でも紹介したとおり、とくに応用理論や事例理論においては、解答範囲の全部を厳密に書いていくよりも、要約した内容でバランスよく解答できている方が、結果として高得点を狙える可能性が高いため、覚えた理論を要約したり、省略する力も必要となります。

そこで、今回はその要約や省略するための簡単かつ実践的なテクニックを２つ紹介します。

テクニック１ キーワード「一定の～」に置き換える

すでにこの理論集やテキスト等においても、よく見ると様々な部分で登場しているこの単語。

本文中に金額や計算方法、期間などの細かい説明が含まれている場合においては、その説明文を「一定の金額」「一定の方法」「一定の期間」などという表現に置き換えることで、規定の要旨部分だけの文章を作成することができます。

例えば、相次相続控除の規定において、本文中の「～次の金額を控除した金額をもって、～」という部分を「～一定の金額を控除した金額をもって～」と置き換えることにより、控除額の算式を省略しつつも、意味の通る文章を作成できます。

テクニック２ カッコ書きを省略する

カッコ書きのなかには重要な意味を持つものもありますが、その多くは補足的な内容ばかりです。したがって、カッコ書き部分を省略して書くことでスッキリと読みやすくなるのと同時に、時短を図ることもできます。なお、重要なカッコ書きと判断した場合には、「※」印を追記し、補足説明を加えることでより良い答案になります。

他にも、4-4「配偶者に対する相続税額の軽減」の[2]未分割である場合において「その分割されていない財産が申告期限から３年以内（その期間内にその財産が分割されなかったことにつき、やむを得ない事情がある場合において、納税地の所轄税務署長の承認を受けたときは、その財産の分割ができることとなった日の翌日から４月以内）」という期限の延長に関するカッコ書きでは、「その分割されていない財産が申告期限から原則として３年以内」というようにカッコ書きを省略することで、カッコ書きの内容についても理解しているアピールもしながら省略することができます。

本試験の解答範囲を判断する際に、詳細まで書き切る時間があるかどうか迷うときは、ひとまず、テクニック１とテクニック２を組み合わせながら、最短距離で合格点の確保を優先してください。

P103 ☜〈②理論学習法〉

〈④理論学習法〉☞ P127

8-7 納税猶予及び免除　　出題年度：なし

非上場株式等についての贈与税の納税猶予及び免除

1 適用要件（措法70の７①）✤✤✤

認定贈与承継会社の非上場株式等を有していた個人である贈与者（その認定贈与承継会社の非上場株式等について既にこの規定の適用に係る贈与をしているものを除く。以下同じ。）が**経営承継受贈者**にその認定贈与承継会社の非上場株式等の贈与（経営贈与承継期間の末日までに贈与税の申告期限が到来する贈与に限る。）をした場合において、その贈与が次のそれぞれに定める贈与であるときは、贈与税の期限内申告書の提出により納付すべき贈与税の額のうち、**対象受贈非上場株式等に係る納税猶予分の贈与税額**に相当する贈与税については、**贈与税の申告期限までに**その贈与税額に相当する**担保を提供**した場合に限り、**贈与者の死亡の日まで**、その**納税を猶予する**。

⑴　$A+B \geqq C \times \frac{2}{3}$の場合　…　**$C \times \frac{2}{3} - B$以上**の数に相当する非上場株式等の贈与

⑵　$A+B < C \times \frac{2}{3}$の場合　…　**Aのすべて**の贈与

A：贈与直前において**贈与者**が有していた認定贈与承継会社の非上場株式等の数

B：贈与直前において**経営承継受贈者**が有していた認定贈与承継会社の非上場株式等の数

C：贈与直前における認定贈与承継会社の発行済株式の総数

2 手　続（措法70の７⑧⑨㉖）✤✤✤

⑴　1の規定は、**贈与税の期限内申告書**に、この規定の適用を受けようとする旨の**記載がない**場合又は一定の書類の**添付がない**場合には、**適用しない**。

⑵　1の適用を受ける経営承継受贈者は、**税務署長がやむを得ない事情があると認める場合を除き**、納税猶予分の贈与税の全部につき納税猶予期限が確定する日までの間、**届出期限までに**、**継続届出書**を納税地の所轄税務署長に**提出しなければならない**。

3 納税猶予額（措法70の７②）✤

対象受贈非上場株式等の価額を経営承継受贈者に係るその年分の**贈与税の課税価格とみなして**暦年課税又は相続時精算課税の適用により計算した贈与税の額とする。

4 納税猶予期限（措法70の7①③⑤⑪）✤✤✤

⑴ **原　則**

贈与者の死亡の日

⑵ **特　則**

① 経営贈与承継期間内

経営贈与承継期間内に次のいずれかに該当することとなった場合には、それぞれに定める日から**２月を経過する日**

イ　経営承継受贈者が認定贈与承継会社の**代表権を有しない**こととなった場合
　…**有しないこととなった日**

ロ　従業員数確認期間内に存する各基準日におけるその対象受贈非上場株式等に係る認定贈与承継会社の常時使用従業員数の合計を従業員数確認期間の末日において従業員数確認期間内に存する基準日の数で除して計算した数が、その常時使用従業員の雇用が確保されているものとする**一定の数を下回る数**となった場合
　…**従業員数確認期間の末日**

ハ　経営承継受贈者及び経営承継受贈者と特別の関係がある者の有する議決権の数の合計がその認定贈与承継会社の**総株主等議決権数の100分の50以下**となった場合（身体障害等のやむを得ない理由がある場合を除く。）…**100分の50以下となった日**

ニ　経営承継受贈者と特別の関係がある者のうちいずれかの者が、**経営承継受贈者が有する議決権の数を超える議決権を有する**こととなった場合
　…**有することとなった日**

ホ　適用対象非上場株式等の**全部又は一部の譲渡等**をした場合…**譲渡等をした日**

ヘ　納税猶予の適用を受けることを**やめる旨を記載した届出書を提出**した場合
　…**届出書の提出があった日**

ト　**継続届出書が届出期限までに提出されない**場合…**届出期限の翌日**

チ　その他一定の場合…一定の日

② 経営贈与承継期間後

経営贈与承継期間の末日の翌日から猶予中贈与税額の全部につき納税猶予期限が確定する日までの間において①ホ、ヘ、ト又はその他一定の場合に該当することとなった場合には、一定の贈与税については、それぞれに定める日から**２月を経過する日**

5　**贈与税の届出免除**（措法70の７⑮㉖）✤✤✤

次のいずれかに該当することとなった場合には、一定の贈与税を**免除する**。この場合において、**経営承継受贈者**又はその**相続人**（包括受遺者を含む。）は、**税務署長がやむを得ない事情があると認める場合を除き、免除届出期限までに**一定の事項を記載した**免除届出書**を納税地の所轄税務署長に**提出しなければならない**。

⑴　贈与者の死亡の時以前に**経営承継受贈者が死亡**した場合

⑵　**贈与者が死亡**した場合

⑶　**経営贈与承継期間の末日の翌日**（経営贈与承継期間内にその経営承継受贈者が身体障害等のやむを得ない理由により代表権を有しないこととなった場合には、その有しないこととなった日）**以後**に、経営承継受贈者が対象受贈非上場株式等につき 1 **に係る贈与**又は**非上場株式等についての贈与税の納税猶予及び免除の特例に係る贈与**をした場合

6　**贈与税の申請免除**（措法70の７⑯）✤

経営贈与承継期間の末日の翌日以後に、次のいずれかに該当することとなった場合において、**経営承継受贈者**は、一定の贈与税の免除を受けようとするときは、**免除申請期限までに**一定の事項を記載した**免除申請書**を納税地の所轄税務署長に**提出しなければならない**。

⑴　認定贈与承継会社の非上場株式等の**全部の譲渡等**をした場合

⑵　認定贈与承継会社について**破産手続開始の決定**又は**特別清算開始の命令**があった場合

⑶　認定贈与承継会社が**合併により消滅**した場合又は株式交換等により他の会社の**株式交換完全子会社等**となった場合

● **非上場株式等（個人の事業用資産）についての納税猶予に係る免除手続期限**

非上場株式等や事業用資産についての贈与税及び相続税の納税猶予額に係る免除には、届出による免除と申請による免除があり、免除届出書又は免除申請書を各期限までに提出しなければなりません。なお、免除届出書のみ、宥恕規定が設けられています。

免除届出期限…原則として免除事由の該当日から６月を経過する日

免除申請期限…免除事由の該当日から２月を経過する日

8-8 納税猶予及び免除　　出題年度：H23

非上場株式等についての相続税の納税猶予及び免除

1 適用要件（措法70の7の2①）✤✤✤

認定承継会社の非上場株式等を有していた被相続人から相続又は遺贈によりその認定承継会社の非上場株式等の取得（経営承継期間の末日までに相続税の申告期限が到来する相続又は遺贈による取得に限る。）をした**経営承継相続人等**が、相続税の期限内申告書の提出により納付すべき相続税の額のうち、**対象非上場株式等に係る納税猶予分の相続税額**に相当する相続税については、**相続税の申告期限までに**その相続税額に相当する**担保を提供**した場合に限り、**経営承継相続人等の死亡の日まで**、その**納税を猶予する**。

2 未分割である場合（措法70の7の2⑦）✤✤

相続税の申告期限までに、非上場株式等の全部又は一部が共同相続人又は包括受遺者によって**まだ分割されていない**場合における[1]の適用については、その分割されていない非上場株式等は、相続税の申告書に[1]の**適用を受ける旨の記載をすることができない**。

3 手　続（措法70の7の2⑨⑩㉗）✤✤✤

⑴　[1]の規定は、**相続税の期限内申告書**に、この規定の適用を受けようとする旨の**記載がない**場合又は一定の書類の**添付がない**場合には、**適用しない**。

⑵　[1]の適用を受ける経営承継相続人等は、**税務署長がやむを得ない事情があると認める場合を除き**、納税猶予分の相続税の全部につき納税猶予期限が確定する日までの間、**届出期限までに**、**継続届出書**を納税地の所轄税務署長に**提出しなければならない**。

4 納税猶予額（措法70の7の2②）✤

次の⑴の金額から⑵の金額を控除した残額とする。

⑴　**対象非上場株式等の価額**を経営承継相続人等に係る**相続税の課税価格とみなして**計算したその経営承継相続人等の相続税の額

⑵　**対象非上場株式等の価額に**$\frac{20}{100}$を乗じて計算した金額を経営承継相続人等に係る**相続税の課税価格とみなして**計算したその経営承継相続人等の相続税の額

5 納税猶予期限（措法70の７の２①③⑤⑫）✤✤✤

(1) 原　則

経営承継相続人等の死亡の日

(2) 特　則

① 経営承継期間内

経営承継期間内に次のいずれかに該当することとなった場合には、それぞれに定める日から**２月を経過する日**

イ　経営承継相続人等が認定承継会社の**代表権を有しない**こととなった場合
…有しないこととなった日

ロ　従業員数確認期間内に存する各基準日におけるその対象非上場株式等に係る認定承継会社の常時使用従業員数の合計を従業員数確認期間の末日において従業員数確認期間内に存する基準日の数で除して計算した数が、その常時使用従業員の雇用が確保されているものとする**一定の数を下回る数**となった場合
…従業員数確認期間の末日

ハ　経営承継相続人等及び経営承継相続人等と特別の関係がある者の有する議決権の数の合計がその認定承継会社の**総株主等議決権数の100分の50以下**となった場合（身体障害等のやむを得ない理由がある場合を除く。）**…100分の50以下となった日**

ニ　経営承継相続人等と特別の関係がある者のうちいずれかの者が、**経営承継相続人等が有する議決権の数を超える議決権を有する**こととなった場合
…有することとなった日

ホ　適用対象非上場株式等の**全部又は一部の譲渡等**をした場合…**譲渡等をした日**

ヘ　納税猶予の適用を受けることを**やめる旨を記載した届出書を提出**した場合
…届出書の提出があった日

ト　**継続届出書が届出期限までに提出されない**場合…**届出期限の翌日**

チ　その他一定の場合…一定の日

② 経営承継期間後

経営承継期間の末日の翌日から猶予中相続税額の全部につき納税猶予期限が確定する日までの間において①ホ、ヘ、ト又はその他一定の場合に該当することとなった場合には、一定の相続税については、それぞれに定める日から**２月を経過する日**

6　相続税の届出免除（措法70の７の２⑯㉗）✤✤✤

次のいずれかに該当することとなった場合には、一定の相続税を**免除する**。この場合において、**経営承継相続人等**又はその**相続人**（包括受遺者を含む。）は、**税務署長がやむを得ない事情があると認める場合を除き、免除届出期限までに**一定の事項を記載した**免除届出書**を納税地の所轄税務署長に**提出しなければならない**。

⑴　**経営承継相続人等が死亡**した場合

⑵　**経営承継期間の末日の翌日**（経営承継期間内にその経営承継相続人等が身体障害等のやむを得ない理由により代表権を有しないこととなった場合には、その有しないこととなった日）**以後**に、経営承継相続人等が対象非上場株式等につき**非上場株式等についての贈与税の納税猶予及び免除に係る贈与**又は**非上場株式等についての贈与税の納税猶予及び免除の特例に係る贈与**をした場合

7　相続税の申請免除（措法70の７の２⑰）✤

経営承継期間の末日の翌日以後に、次のいずれかに該当することとなった場合において、**経営承継相続人等**は、一定の相続税の免除を受けようとするときは、**免除申請期限までに**一定の事項を記載した**免除申請書**を納税地の所轄税務署長に**提出しなければならない**。

⑴　認定承継会社の非上場株式等の**全部の譲渡等**をした場合

⑵　認定承継会社について**破産手続開始の決定**又は**特別清算開始の命令**があった場合

⑶　認定承継会社が**合併により消滅**した場合又は株式交換等により他の会社の**株式交換完全子会社等**となった場合

 出題年度：なし

非上場株式等の贈与者が死亡した場合の相続税の納税猶予及び免除等

1 贈与者が死亡した場合の相続税の課税の特例（措法70の７の３①）✤✤

経営承継受贈者に係る**贈与者が死亡**した場合（その死亡の時以前にその経営承継受贈者が死亡した場合を除く。）には、その贈与者の死亡による相続又は遺贈に係る相続税については、その経営承継受贈者がその贈与者から**相続**（その経営承継受贈者がその贈与者の相続人以外の者である場合には、**遺贈**）により対象受贈非上場株式等の**取得をしたものとみなす**。

この場合において、その相続税の課税価格の計算の基礎に算入すべきその対象受贈非上場株式等の価額については、その**贈与の時における価額**による。

2 贈与者が死亡した場合の相続税の納税猶予及び免除（措法70の７の４①）✤✤

1の規定により、贈与者から**相続又は遺贈により取得をしたものとみなされた対象受贈非上場株式等**につき、この適用を受けようとする**経営相続承継受贈者**が、相続税の期限内申告書の提出により納付すべき相続税の額のうち、**対象相続非上場株式等に係る納税猶予分の相続税額**に相当する相続税については、**相続税の申告期限までに**その相続税額に相当する**担保を提供**した場合に限り、**経営相続承継受贈者の死亡の日まで**、その**納税を猶予する**。

3 手　続（措法70の７の４⑦⑧⑭）✤✤

(1) 2の規定は、**相続税の期限内申告書**に、この規定の適用を受けようとする旨の**記載がない**場合又は一定の書類の**添付がない**場合には、**適用しない**。

(2) 2の適用を受ける経営相続承継受贈者は、**税務署長がやむを得ない事情があると認める場合を除き**、納税猶予分の相続税の全部につき納税猶予期限が確定する日までの間、**届出期限までに**、**継続届出書**を納税地の所轄税務署長に**提出しなければならない**。

4 納税猶予額（措法70の７の４②）✤

次の(1)の金額から(2)の金額を控除した残額とする。

(1) **対象相続非上場株式等の価額**を経営相続承継受贈者に係る**相続税の課税価格とみなして**計算したその経営相続承継受贈者の相続税の額

(2) **対象相続非上場株式等の価額に$\frac{20}{100}$**を乗じて計算した金額を経営相続承継受贈者に係る**相続税の課税価格とみなして**計算したその経営相続承継受贈者の相続税の額

5 納税猶予期限（措法70の7の4①③⑨）✤✤

(1) **原　則**

経営相続承継受贈者の死亡の日

(2) **特　則**

① 経営相続承継期間内

経営相続承継期間内に次のいずれかに該当することとなった場合には、それぞれに定める日から**2月を経過する日**

イ　経営相続承継受贈者が認定相続承継会社の**代表権を有しない**こととなった場合…**有しないこととなった日**

ロ　従業員数確認期間内に存する各基準日におけるその対象相続非上場株式等に係る認定相続承継会社の常時使用従業員数の合計を従業員数確認期間の末日において従業員数確認期間内に存する基準日の数で除して計算した数が、その常時使用従業員の雇用が確保されているものとする**一定の数を下回る数**となった場合

…**従業員数確認期間の末日**

ハ　経営相続承継受贈者及び経営相続承継受贈者と特別の関係がある者の有する議決権の数の合計がその認定相続承継会社の**総株主等議決権数の100分の50以下**となった場合（身体障害等のやむを得ない理由がある場合を除く。）

…**100分の50以下となった日**

ニ　経営相続承継受贈者と特別の関係がある者のうちいずれかの者が、**経営相続承継受贈者が有する議決権の数を超える議決権を有する**こととなった場合

…**有することとなった日**

ホ　適用対象非上場株式等の**全部又は一部の譲渡等**をした場合

…**譲渡等をした日**

ヘ　納税猶予の適用を受けることを**やめる旨を記載した届出書を提出**した場合

…**届出書の提出があった日**

ト　**継続届出書が届出期限までに提出されない**場合…**届出期限の翌日**

チ　その他一定の場合…一定の日

② 経営相続承継期間後

経営相続承継期間の末日の翌日から猶予中相続税額の全部につき納税猶予期限が確定する日までの間において①ホ、ヘ、ト又はその他一定の場合に該当することとなった場合には、一定の相続税については、それぞれに定める日から**2月を経過する日**

6 **相続税の届出免除**（措法70の７の４⑫⑭）✤✤

次のいずれかに該当することとなった場合には、一定の相続税を**免除する**。この場合において、**経営相続承継受贈者**又はその**相続人**（包括受遺者を含む。）は、**税務署長がやむを得ない事情があると認める場合を除き、免除届出期限までに**一定の事項を記載した**免除届出書**を納税地の所轄税務署長に**提出しなければならない**。

⑴　**経営相続承継受贈者が死亡**した場合

⑵　**経営相続承継期間の末日の翌日**（経営相続承継期間内にその経営相続承継受贈者が身体障害等のやむを得ない理由により代表権を有しないこととなった場合には、その有しないこととなった日）**以後**に、経営相続承継受贈者が対象相続非上場株式等につき**非上場株式等についての贈与税の納税猶予及び免除に係る贈与**又は**非上場株式等についての贈与税の納税猶予及び免除の特例に係る贈与**をした場合

7 **相続税の申請免除**（措法70の７の４⑫）✤

経営相続承継期間の末日の翌日以後に、次のいずれかに該当することとなった場合において、**経営相続承継受贈者**は、一定の相続税の免除を受けようとするときは、**免除申請期限までに**一定の事項を記載した**免除申請書**を納税地の所轄税務署長に**提出しなければならない**。

⑴　認定相続承継会社の非上場株式等の**全部の譲渡等**をした場合

⑵　認定相続承継会社について**破産手続開始の決定**又は**特別清算開始の命令**があった場合

⑶　認定相続承継会社が**合併により消滅**した場合又は株式交換等により他の会社の**株式交換完全子会社等**となった場合

● **事業承継税制（一般措置）における用語の比較**

	贈与税（8-7）	相続税（8-8）	贈与者死亡（8-9）
承継会社	認定**贈与**承継会社	認定承継会社	認定**相続**承継会社
非上場株式等	対象**受贈**非上場株式等	対象非上場株式等	対象**相続**非上場株式等
経営承継者	経営承継**受贈者**	経営承継相続人等	経営**相続**承継受贈者
経営承継期間	経営**贈与**承継期間	経営承継期間	経営**相続**承継期間

コラム @ランダム

【2025年問題、急増する中小企業の廃業を新事業承継税制は救えるのか】

中小企業の事業承継税制として、非上場株式等についての相続税及び贈与税の納税猶予制度が平成21年度税制改正において創設され、累次の改正により、適用要件の緩和等が行われてきましたが、その適用件数は、相続税及び贈与税合わせて年間500件程度（平成27年分）に留まっています。

一方で、中小企業の経営者の高齢化が進展しており、中小企業庁によれば、2025年頃までの10年間に平均引退年齢の70歳を超える中小企業・小規模事業者の経営者は約245万人に達する見込みで、このうち約半数の127万人が後継者未定と考えられています。さらに、この現状を放置すれば、中小企業等の廃業の急増により、この10年間で約650万人の雇用と約22兆円のGDPが失われる可能性があるとされています。

このように事業承継の問題は、単なる企業の後継ぎの問題ではなく、日本経済全体の問題であるとの認識のもと、中小企業の円滑な世代交代を集中的に促進し、生産性向上に資する観点から、この制度についても、10年間の贈与・相続に適用される時限措置として、抜本的に拡充することとされました。

具体的には、猶予対象株式の制限撤廃により、贈与・相続時の納税負担が生じない制度とされ、複数名からの承継や、最大3名の後継者に対する承継にも対象が拡大されました。また、足元の人手不足の中で、雇用確保要件については、承継後5年間で平均8割の雇用を維持できなかった場合でも、その理由を都道府県に報告した上で、一定の場合には、猶予が継続できることとされました。

これらの措置により、中小企業における円滑な事業承継がこれまで以上に加速し、2025年問題を無事に乗り越えられるかどうかは今後の数年間にかかっていると言えるでしょう。

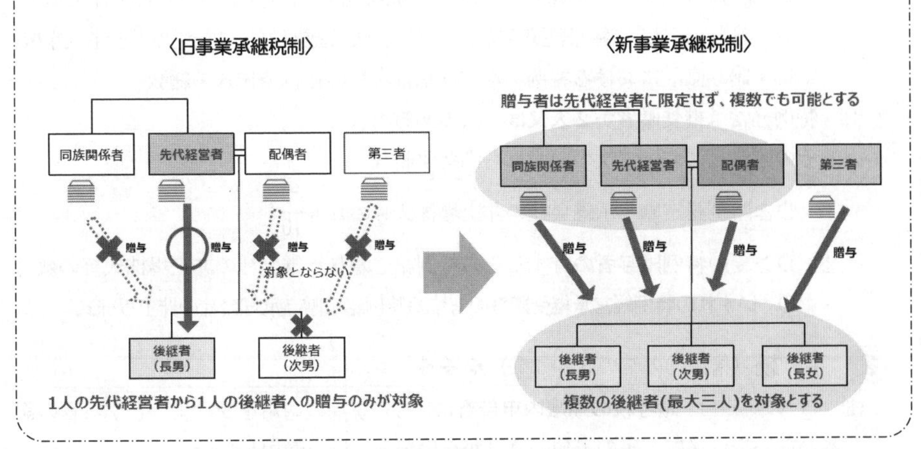

 出題年度：R４

非上場株式等についての贈与税の納税猶予及び免除の特例

1 適用要件（措法70の７の５①）✤✤✤

特例認定贈与承継会社の非上場株式等を有していた個人である**特例贈与者**（その特例認定贈与承継会社の非上場株式等について既にこの規定の適用に係る贈与をしているものを除く。以下同じ。）が**特例経営承継受贈者**にその特例認定贈与承継会社の非上場株式等の贈与（**平成30年１月１日から令和９年12月31日まで**の間の最初のこの規定の適用に係る贈与及びその贈与の日から特例経営贈与承継期間の末日までの間に贈与税の申告期限が到来する贈与に限る。）をした場合において、その贈与が次のそれぞれに定める贈与であるときは、贈与税の期限内申告書の提出により納付すべき贈与税の額のうち、**特例対象受贈非上場株式等に係る納税猶予分の贈与税額**に相当する贈与税については、**贈与税の申告期限までに**その贈与税額に相当する**担保を提供**した場合に限り、**特例贈与者の死亡の日まで**、その**納税を猶予する**。

⑴　特例経営承継受贈者が**１人**である場合

①　$A+B \geqq C \times \frac{2}{3}$の場合　…　**$C \times \frac{2}{3} - B$以上**の数に相当する非上場株式等の贈与

②　$A+B < C \times \frac{2}{3}$の場合　…　**Aのすべて**の贈与

A：贈与直前において**特例贈与者**が有していた特例認定贈与承継会社の非上場株式等の数
B：贈与直前において**特例経営承継受贈者**が有していた特例認定贈与承継会社の非上場株式等の数
C：贈与直前における特例認定贈与承継会社の発行済株式の総数

⑵　特例経営承継受贈者が**２人又は３人**である場合
その贈与後において次のいずれも満たす贈与

①　D≧特例認定贈与承継会社の非上場株式等の数$\times \frac{1}{10}$

②　D**＞**その**特例贈与者**の有するその特例認定贈与承継会社の非上場株式等の数
D：**いずれの特例経営承継受贈者**の有する特例認定贈与承継会社の非上場株式等の数

2 手　続（措法70の７の５⑤⑥㉑）✤✤✤

⑴　1の規定は、**贈与税の期限内申告書**に、この規定の適用を受けようとする旨の**記載がない場合**又は一定の書類の**添付がない場合**には、**適用しない**。

⑵　1の適用を受ける特例経営承継受贈者は、**税務署長がやむを得ない事情があると認める場合を除き**、納税猶予分の贈与税の全部につき納税猶予期限が確定する日までの間、**届出期限までに**、**継続届出書**を納税地の所轄税務署長に**提出しなければならない**。

3 納税猶予額（措法70の７の５②）✤

特例対象受贈非上場株式等の価額を特例経営承継受贈者に係るその年分の**贈与税の課税価格とみなして**暦年課税又は相続時精算課税の適用により計算した贈与税の額とする。

4 納税猶予期限（措法70の７の５①③⑧）✤✤✤

⑴ 原　則

特例贈与者の死亡の日

⑵ 特　則

① 特例経営贈与承継期間内

特例経営贈与承継期間内に次のいずれかに該当することとなった場合には、それぞれに定める日から**２月を経過する日**

イ　特例経営承継受贈者が特例認定贈与承継会社の**代表権を有しない**こととなった場合…**有しないこととなった日**

ロ　特例経営承継受贈者及び特例経営承継受贈者と特別の関係がある者の有する議決権の数の合計がその特例認定贈与承継会社の**総株主等議決権数の100分の50以下**となった場合（身体障害等のやむを得ない理由がある場合を除く。）…**100分の50以下となった日**

ハ　特例経営承継受贈者と特別の関係がある者のうちいずれかの者が、**特例経営承継受贈者が有する議決権の数を超える議決権を有する**こととなった場合…**有することとなった日**

ニ　適用特例対象非上場株式等の**全部又は一部の譲渡等**をした場合…**譲渡等をした日**

ホ　納税猶予の適用を受けることを**やめる旨を記載した届出書を提出**した場合…**届出書の提出があった日**

ヘ　**継続届出書が届出期限までに提出されない場合…届出期限の翌日**

ト　その他一定の場合…一定の日

② 特例経営贈与承継期間後

特例経営贈与承継期間の末日の翌日から猶予中贈与税額の全部につき納税猶予期限が確定する日までの間において①ニ、ホ、ヘ又はその他一定の場合に該当することとなった場合には、一定の贈与税については、それぞれに定める日から**２月を経過する日**

5 贈与税の届出免除（措法70の７の５⑪㉑）✤✤✤

次のいずれかに該当することとなった場合には、一定の贈与税を**免除する。**この場合において、**特例経営承継受贈者**又はその**相続人**（包括受遺者を含む。）は、**税務署長がやむを得ない事情があると認める場合を除き、免除届出期限までに**一定の事項を記載した**免除届出書**を納税地の所轄税務署長に**提出しなければならない。**

⑴ 特例贈与者の死亡の時以前に**特例経営承継受贈者が死亡**した場合

⑵ **特例贈与者が死亡**した場合

⑶ **特例経営贈与承継期間の末日の翌日**（特例経営贈与承継期間内にその特例経営承継受贈者が身体障害等のやむを得ない理由により代表権を有しないこととなった場合には、その有しないこととなった日）**以後**に、特例経営承継受贈者が特例対象受贈非上場株式等につき**非上場株式等についての贈与税の納税猶予及び免除に係る贈与**又は［1］**に係る贈与**をした場合

6 贈与税の申請免除（措法70の７の５⑪⑫）✤

特例経営贈与承継期間の末日の翌日以後に、次のいずれかに該当することとなった場合において、**特例経営承継受贈者**は、一定の贈与税の免除を受けようとするときは、**免除申請期限までに**一定の事項を記載した**免除申請書**を納税地の所轄税務署長に**提出しなければならない。**

⑴ 特例認定贈与承継会社の非上場株式等の**全部の譲渡等**をした場合

⑵ 特例認定贈与承継会社について**破産手続開始の決定**又は**特別清算開始の命令**があった場合

⑶ 特例認定贈与承継会社が**合併により消滅**した場合又は株式交換等により他の会社の**株式交換完全子会社等**となった場合

⑷ **事業の継続が困難**な一定の事由が生じた場合において、次のいずれかに該当することとなったとき

① 特例対象受贈非上場株式等の全部又は一部の**譲渡等**をしたとき

② 特例認定贈与承継会社が**合併により消滅**したとき

③ 特例認定贈与承継会社が株式交換等により他の会社の**株式交換完全子会社等**となったとき

④ 特例認定贈与承継会社が**解散**したとき

出題年度：なし

非上場株式等についての相続税の納税猶予及び免除の特例

1 適用要件（措法70の７の６①）✤✤✤

特例認定承継会社の非上場株式等を有していた特例被相続人から相続又は遺贈によりその特例認定承継会社の非上場株式等の取得（**平成30年１月１日から令和９年12月31日まで**の間の最初のこの規定の適用に係る相続又は遺贈による取得及びその取得の日から特例経営承継期間の末日までの間に相続税の申告期限が到来する相続又は遺贈による取得に限る。）をした**特例経営承継相続人等**が、相続税の期限内申告書の提出により納付すべき相続税の額のうち、**特例対象非上場株式等に係る納税猶予分の相続税額**に相当する相続税については、**相続税の申告期限までに**その相続税額に相当する**担保を提供**した場合に限り、**特例経営承継相続人等の死亡の日まで**、その**納税を猶予する**。

2 未分割である場合（措法70の７の６⑤）✤✤

相続税の申告期限までに、非上場株式等の全部又は一部が共同相続人又は包括受遺者によって**まだ分割されていない**場合における[1]の適用については、その分割されていない非上場株式等は、相続税の申告書に[1]の**適用を受ける旨の記載をすることができない**。

3 手　続（措法70の７の６⑥⑦㉒）✤✤✤

⑴ [1]の規定は、**相続税の期限内申告書**に、この規定の適用を受けようとする旨の**記載がない**場合又は一定の書類の**添付がない**場合には、**適用しない**。

⑵ [1]の適用を受ける特例経営承継相続人等は、**税務署長がやむを得ない事情があると認める場合を除き**、納税猶予分の相続税の全部につき納税猶予期限が確定する日までの間、**届出期限までに**、**継続届出書**を納税地の所轄税務署長に**提出しなければならない**。

4 納税猶予額（措法70の７の６②）✤

特例対象非上場株式等の価額を特例経営承継相続人等に係る**相続税の課税価格とみなして**計算したその特例経営承継相続人等の相続税の額とする。

5 納税猶予期限（措法70の７の６①③⑨）✤✤✤

(1) 原　則

特例経営承継相続人等の死亡の日

(2) 特　則

①　特例経営承継期間内

特例経営承継期間内に次のいずれかに該当することとなった場合には、それぞれに定める日から**２月を経過する日**

イ　特例経営承継相続人等が特例認定承継会社の**代表権を有しないこと**となった場合…**有しないこととなった日**

ロ　特例経営承継相続人等及び特例経営承継相続人等と特別の関係がある者の有する議決権の数の合計がその特例認定承継会社の**総株主等議決権数の100分の50以下**となった場合（身体障害等のやむを得ない理由がある場合を除く。）…**100分の50以下となった日**

ハ　特例経営承継相続人等と特別の関係がある者のうちいずれかの者が、**特例経営承継相続人等が有する議決権の数を超える議決権を有する**こととなった場合…**有することとなった日**

ニ　適用特例対象非上場株式等の**全部又は一部の譲渡等**をした場合…**譲渡等をした日**

ホ　納税猶予の適用を受けることを**やめる旨を記載した届出書を提出**した場合…**届出書の提出があった日**

ヘ　**継続届出書が届出期限までに提出されない**場合…**届出期限の翌日**

ト　その他一定の場合…一定の日

②　特例経営承継期間後

特例経営承継期間の末日の翌日から猶予中相続税額の全部につき納税猶予期限が確定する日までの間において①ニ、ホ、ヘ又はその他一定の場合に該当することとなった場合には、一定の相続税については、それぞれに定める日から**２月を経過する日**

6 相続税の届出免除（措法70の７の６⑫㉒）✤✤✤

次のいずれかに該当することとなった場合には、一定の相続税を**免除する**。この場合において、**特例経営承継相続人等**又はその**相続人**（包括受遺者を含む。）は、**税務署長がやむを得ない事情があると認める場合を除き、免除届出期限までに**一定の事項を記載した**免除届出書**を納税地の所轄税務署長に**提出しなければならない**。

⑴ **特例経営承継相続人等が死亡**した場合

⑵ **特例経営承継期間の末日の翌日**（特例経営承継期間内にその特例経営承継相続人等が身体障害等のやむを得ない理由により代表権を有しないこととなった場合には、その有しないこととなった日）**以後**に、特例経営承継相続人等が特例対象非上場株式等につき**非上場株式等についての贈与税の納税猶予及び免除に係る贈与**又は**非上場株式等についての贈与税の納税猶予及び免除の特例に係る贈与**をした場合

7 相続税の申請免除（措法70の７の６⑫⑬）✤

特例経営承継期間の末日の翌日以後に、次のいずれかに該当することとなった場合において、**特例経営承継相続人等**は、一定の相続税の免除を受けようとするときは、**免除申請期限までに**一定の事項を記載した**免除申請書**を納税地の所轄税務署長に**提出しなければならない**。

⑴ 特例認定承継会社の非上場株式等の**全部の譲渡等**をした場合

⑵ 特例認定承継会社について**破産手続開始の決定**又は**特別清算開始の命令**があった場合

⑶ 特例認定承継会社が**合併により消滅**した場合又は株式交換等により他の会社の**株式交換完全子会社等**となった場合

⑷ **事業の継続が困難**な一定の事由が生じた場合において、次のいずれかに該当することとなったとき

① 特例対象非上場株式等の全部又は一部の**譲渡等**をしたとき

② 特例認定承継会社が**合併により消滅**したとき

③ 特例認定承継会社が株式交換等により他の会社の**株式交換完全子会社等**となったとき

④ 特例認定承継会社が**解散**したとき

8-12 納税猶予及び免除 出題年度：なし

非上場株式等の特例贈与者が死亡した場合の相続税の納税猶予及び免除の特例等

1 特例贈与者が死亡した場合の相続税の課税の特例（措法70の７の７①）✤✤

特例経営承継受贈者に係る**特例贈与者が死亡**した場合（その死亡の時以前にその特例経営承継受贈者が死亡した場合を除く。）には、その特例贈与者の死亡による相続又は遺贈に係る相続税については、その特例経営承継受贈者がその特例贈与者から**相続**（その特例経営承継受贈者がその特例贈与者の相続人以外の者である場合には、**遺贈**）により特例対象受贈非上場株式等の**取得をしたものとみなす**。

この場合において、その相続税の課税価格の計算の基礎に算入すべきその特例対象受贈非上場株式等の価額については、その**贈与の時における価額**による。

2 特例贈与者が死亡した場合の相続税の納税猶予及び免除の特例（措法70の７の８①）✤✤

1の規定により、特例贈与者から**相続又は遺贈により取得をしたものとみなされた特例対象受贈非上場株式等**につき、この適用を受けようとする**特例経営相続承継受贈者**が、相続税の期限内申告書の提出により納付すべき相続税の額のうち、**特例対象相続非上場株式等に係る納税猶予分の相続税額**に相当する相続税については、**相続税の申告期限までに**その相続税額に相当する**担保を提供**した場合に限り、**特例経営相続承継受贈者の死亡の日まで**、その**納税を猶予する**。

3 手　続（措法70の７の８⑤⑥⑬）✤✤

(1) 2の規定は、**相続税の期限内申告書**に、この規定の適用を受けようとする旨の**記載がない**場合又は一定の書類の**添付がない**場合には、**適用しない**。

(2) 2の適用を受ける特例経営相続承継受贈者は、**税務署長がやむを得ない事情があると認める場合を除き**、納税猶予分の相続税の全部につき納税猶予期限が確定する日までの間、**届出期限までに**、**継続届出書**を納税地の所轄税務署長に**提出しなければならない**。

4 納税猶予額（措法70の７の８②）✤

特例対象相続非上場株式等の価額を特例経営相続承継受贈者に係る**相続税の課税価格とみなして**計算したその特例経営相続承継受贈者の相続税の額

5 納税猶予期限（措法70の7の8①③⑧）✤✤

(1) **原　則**

特例経営相続承継受贈者の死亡の日

(2) **特　則**

① 特例経営相続承継期間内

特例経営相続承継期間内に次のいずれかに該当することとなった場合には、それぞれに定める日から**2月を経過する日**

イ　特例経営相続承継受贈者が特例認定相続承継会社の**代表権を有しない**こととなった場合…**有しないこととなった日**

ロ　特例経営相続承継受贈者及び特例経営相続承継受贈者と特別の関係がある者の有する議決権の数の合計がその特例認定相続承継会社の**総株主等議決権数の100分の50以下**となった場合（身体障害等のやむを得ない理由がある場合を除く。）…**100分の50以下となった日**

ハ　特例経営相続承継受贈者と特別の関係がある者のうちいずれかの者が、**特例経営相続承継受贈者が有する議決権の数を超える議決権を有する**こととなった場合…**有することとなった日**

ニ　適用特例対象非上場株式等の**全部又は一部の譲渡等**をした場合…**譲渡等をした日**

ホ　納税猶予の適用を受けることを**やめる旨を記載した届出書を提出**した場合…**届出書の提出があった日**

ヘ　**継続届出書が届出期限までに提出されない**場合…**届出期限の翌日**

ト　その他一定の場合…一定の日

② 特例経営相続承継期間後

特例経営相続承継期間の末日の翌日から猶予中相続税額の全部につき納税猶予期限が確定する日までの間において①ニ、ホ、ヘ又はその他一定の場合に該当することとなった場合には、一定の相続税については、それぞれに定める日から**2月を経過する日**

6 相続税の届出免除（措法70の７の８⑪⑬⑰）✤✤✤

次のいずれかに該当することとなった場合には、一定の相続税を**免除する**。この場合において、**特例経営相続承継受贈者**又はその**相続人**（包括受遺者を含む。）は、**税務署長がやむを得ない事情があると認める場合を除き、免除届出期限までに**一定の事項を記載した**免除届出書**を納税地の所轄税務署長に**提出しなければならない**。

⑴ **特例経営相続承継受贈者が死亡**した場合

⑵ **特例経営相続承継期間の末日の翌日**（特例経営相続承継期間内にその特例経営相続承継受贈者が身体障害等のやむを得ない理由により代表権を有しないこととなった場合には、その有しないこととなった日）**以後**に、特例経営相続承継受贈者が特例対象相続非上場株式等につき**非上場株式等についての贈与税の納税猶予及び免除に係る贈与**又は**非上場株式等についての贈与税の納税猶予及び免除の特例に係る贈与**をした場合

7 相続税の申請免除（措法70の７の８⑪⑰）✤

特例経営相続承継期間の末日の翌日以後に、次のいずれかに該当することとなった場合において、**特例経営相続承継受贈者**は、一定の相続税の免除を受けようとするときは、**免除申請期限までに**一定の事項を記載した**免除申請書**を納税地の所轄税務署長に**提出しなければならない**。

⑴ 特例認定相続承継会社の非上場株式等の**全部の譲渡等**をした場合

⑵ 特例認定相続承継会社について**破産手続開始の決定**又は**特別清算開始の命令**があった場合

⑶ 特例認定相続承継会社が**合併により消滅**した場合又は株式交換等により他の会社の**株式交換完全子会社等**となった場合

⑷ **事業の継続が困難**な一定の事由が生じた場合において、次のいずれかに該当することとなったとき

① 特例対象相続非上場株式等の全部又は一部の**譲渡等**をしたとき

② 特例認定相続承継会社が**合併により消滅**したとき

③ 特例認定相続承継会社が株式交換等により他の会社の**株式交換完全子会社等**となったとき

④ 特例認定相続承継会社が**解散**したとき

〈④理論学習法〉
～最後の仕上げは実践あるのみ～

理論の暗記も順調に進み、WEB講座での確認テストや直前期のラストスパート模試（答練）など、理論問題を実際に解く場面になると「暗記は出来ているのに何を書いたらいいのか分からない…」なんてことも少なくありません。

試験は、出題者とのキャッチボールですから、出題の意図をくみ取り問われていることに対して的を射た答えを返さなければ、理論の答案用紙を何枚書いたとしても合格点には達しません。

ここでは、書き始める前に、やるべき３つの手順について紹介します。

手順１ 問題文を最低２回は読む！

前々回の〈②理論学習法〉では、本試験の出題パターンを３つ確認しました。

そのうち応用理論と事例理論については、まず素読みをし、その出題テーマや出題の意図を感じ取ることが大切です。出題者とのキャッチボールというお話をしましたが、読み始めから問題文の細部にとらわれ過ぎると、出題の意図が見えにくくなることがあり、的外れな解答を書いてしまう恐れもあります。また、出題テーマが各学校等で予想されていた重要なものであれば、他の受験生も完璧に近い解答を書くことを意識し、ミスのない解答作成を心掛けなくてはなりません。

素読み後、次に解答要求事項である問題文の結論を確認してからもう一度読んでみてください。それにより、問題や事例を効率的に読み解くことができ、タイムロスなく合格答案を作成することができるようになります。

手順２ 解答範囲を確定する！

手順①の問題文の読み取りができたら、答案用紙に記載する内容の範囲を検討します。

とくに応用理論の解答範囲については、問題文を慎重に読まないと大きなミスに繋がるリスクがあります。例えば、法律や税目からの限定はあるか、他にも課税価格計算上の規定や手続き規定など、要求されている範囲は様々です。それらを踏まえ、理論集の様々な部分から必要箇所をピックアップしなければならないため、漏れなく解答範囲を確定するには問題文の余白などで、何を書くべきかを一度整理してから書き出す方がよいでしょう。

手順３ 時間配分を確定する！

本試験における理論の問題は、例年２題出題され、合格点をとるためには２題ともバランス良く解答することが必要とされます。手順２の解答範囲の整理ができたら、40分～50分を目安に理論の第１問と第２問の時間配分を確定します。重要性の高い規定ほどミスなく詳細まで書き、そうでないものは要約して書くなど、満点ではなく合格点（８割程度）を目指した解答作成を意識しましょう。

P107 ☜〈③理論学習法〉

出題年度：なし

医療法人の持分に係る経済的利益についての贈与税の納税猶予及び免除等

1 適用要件（措法70の７の９①）✤✤✤

認定医療法人の持分を有する個人（以下「贈与者」という。）がその持分の全部又は一部の**放棄**をしたことにより、その認定医療法人の**持分を有する他の個人**（以下「受贈者」という。）に対して贈与税が課される場合には、贈与税の期限内申告書の提出により納付すべき贈与税の額のうち、その**放棄により受けた利益**（以下「経済的利益」という。）**に係る納税猶予分の贈与税額**に相当する贈与税については、**贈与税の申告期限までに**その納税猶予分の贈与税額に相当する**担保を提供**した場合に限り、**認定移行計画の移行期限まで**、その**納税を猶予する**。

2 相続時精算課税の適用除外（措法70の７の９③、70の７の10③）✤✤

相続時精算課税適用者又は相続時精算課税選択届出書を提出する者が、特定贈与者が認定医療法人の持分を放棄したことにより経済的利益について1又は6の適用を受ける場合には、その経済的利益については、**相続時精算課税の規定は、適用しない**。

3 納税猶予の適用除外（措法70の７の９④）✤✤

1の適用を受けようとする受贈者が、贈与者による認定医療法人の**持分の放棄があった日から経済的利益に係る贈与税の申告期限までの間**に認定医療法人の持分に基づき出資額に応じた**払戻しを受けた**場合若しくはその**持分の譲渡をした**場合又は**6の適用を受ける**場合には、**1は適用しない**。

4 贈与税の免除（措法70の７の９⑪）✤✤✤

1の適用に係る認定医療法人の認定移行計画の移行期限までに次のいずれかに該当することとなった場合（その該当することとなった日前に納税猶予期限が確定等した場合を除く。）には、それぞれに定める贈与税は、**免除する**。

⑴　1の適用を受ける受贈者が有している認定医療法人の**持分の全てを放棄**した場合…納税猶予分の贈与税額

⑵　認定医療法人が基金拠出型医療法人への移行をする場合において、受贈者が有しているその認定医療法人の**持分の一部を放棄**し、残余部分を基金拠出型医療法人の**基金として拠出**したとき…納税猶予分の贈与税額から一定の金額を控除した残額

5 **納税猶予額**（措法70の７の９①）✤

受贈者が贈与により取得したものとみなされた**経済的利益の価額**をその受贈者に係るその年分の**贈与税の課税価格とみなして**計算した贈与税の額とする。

6 **贈与税の税額控除**（措法70の７の10①）✤✤

[1]の贈与税が課される場合において、その受贈者がその**放棄の時から贈与税の申告期限までの間**にその有する認定医療法人の**持分の全部又は一部を放棄**したときは、その受贈者については、**算出贈与税額から放棄相当贈与税額を控除した残額**をもって、その納付すべき贈与税額とする。

7 **贈与税の税額控除の適用除外**（措法70の７の10④）✤✤

[6]の適用を受けようとする受贈者が、贈与者による認定医療法人の**持分の放棄があった日から経済的利益に係る贈与税の申告期限までの間**に、認定医療法人の持分に基づき出資額に応じた**払戻しを受けた**場合又はその**持分の譲渡をした**場合には、[6]**は適用しない**。

8 **手　続**（措法70の７の９⑧、70の７の10⑤）✤✤

[1]又は[6]の規定は、**贈与税の期限内申告書**に、この規定の適用を受けようとする旨の**記載がない**場合又は一定の書類の**添付がない**場合には、**適用しない**。

① **認定医療法人**

令和８年12月31日までの間に厚生労働大臣認定を受けた医療法人に限る。

② **放棄相当贈与税額**

経済的利益の価額を受贈者に係るその年分の贈与税の課税価格とみなして計算した金額のうちその受贈者による認定医療法人の持分の放棄がされた部分に相当するものとして計算した金額をいう。

出題年度：なし

医療法人の持分についての相続税の納税猶予及び免除等

1 適用要件（措法70の７の12①）✤✤✤

相続人等が**経過措置医療法人の持分を有していた被相続人**から相続又は遺贈によりその経過措置医療法人の持分を取得した場合において、その経過措置医療法人が**相続税の申告期限において認定医療法人**であるときは、その相続人等が相続税の期限内申告書の提出により納付すべき相続税の額のうち、その持分の価額に係る納税猶予分の相続税額に相当する相続税については、**相続税の申告期限までに**その相続税額に相当する**担保を提供**した場合に限り、**認定移行計画の移行期限まで**、その**納税を猶予**する。

2 納税猶予の適用除外（措法70の７の12③）✤✤

1の適用を受けようとする相続人等が、**相続の開始の時からその相続税の申告期限までの間**に経過措置医療法人の持分に基づき出資額に応じた**払戻しを受けた**場合若しくはその**持分の譲渡をした**場合又は6**の適用を受ける**場合には、1**は適用しない**。

3 未分割である場合（措法70の７の12④）✤✤

相続税の申告期限までに、経過措置医療法人の持分の全部又は一部が共同相続人又は包括受遺者によって**まだ分割されていない**場合における1の適用については、その分割されていない持分は、その相続税の申告書に1の**適用を受ける旨の記載をすることができない**。

4 納税猶予分の相続税の免除（措法70の７の12⑪）✤✤✤

1の適用に係る認定医療法人の認定移行計画の移行期限までに次のいずれかに該当することとなった場合（その該当することとなった日前に納税猶予期限が確定等した場合を除く。）には、それぞれに定める相続税は、**免除する**。

⑴ 1の適用を受ける相続人等が有している認定医療法人の**持分の全てを放棄**した場合…納税猶予分の相続税額

⑵ 認定医療法人が基金拠出型医療法人への移行をする場合において、相続人等が有しているその認定医療法人の**持分の一部を放棄**し、残余部分を基金拠出型医療法人の**基金として拠出**したとき…納税猶予分の相続税額から一定の金額を控除した残額

5　納税猶予額（措法70の7の12②）✤

相続人等が相続又は遺贈により取得した**経過措置医療法人の持分の価額**をその相続人等に係る**相続税の課税価格とみなして**計算した相続税の額とする。

6　相続税の税額控除（措法70の7の13①）✤✤

1 の場合において、その経過措置医療法人がその相続の開始の時において認定医療法人（相続税の申告期限又は令和8年12月31日のいずれか早い日までに厚生労働大臣認定を受けた経過措置医療法人を含む。）であり、かつ、その持分を取得した相続人等がその**相続の開始の時から相続税の申告期限までの間**にその有する経過措置医療法人の**持分の全部又は一部を放棄**したときは、その相続人等については、**算出相続税額から放棄相当相続税額を控除した残額**をもって、その納付すべき相続税額とする。

7　相続税の税額控除の適用除外（措法70の7の13③）✤✤

6 の適用を受けようとする相続人等が、その**相続の開始の時から相続税の申告期限までの間**に、その経過措置医療法人の持分に基づき出資額に応じた**払戻しを受けた**場合又はその**持分の譲渡をした**場合には、6 **は適用しない**。

8　手　続（措法70の7の12⑧、措法70の7の13④）✤✤

1 又は 6 の規定は、**相続税の期限内申告書**に、この規定の適用を受けようとする旨の**記載がない**場合又は一定の書類の**添付がない**場合には、**適用しない**。

① **経過措置医療法人**

一般の持分のある社団医療法人及び出資限度法人をいう。

② **放棄相当相続税額**

認定医療法人の持分の価額を相続人等に係る相続税の課税価格とみなして計算した金額のうちその相続人等により放棄がされた部分に相当するものとして計算した金額をいう。

出題年度：なし

医療法人の持分の放棄があった場合の贈与税の課税の特例

1 みなし個人課税の適用除外（措法70の７の14①）✤✤✤

認定医療法人の持分を有する個人がその持分の全部又は一部の放棄をしたことにより、その**認定医療法人が経済的利益を受けた場合であっても**、その認定医療法人が受けたその経済的利益については、**持分の定めのない法人を個人とみなして贈与税又は相続税を課する規定は、適用しない。**

2 みなし個人課税が適用される場合（措法70の７の14②④）✤✤

⑴ 1の適用に係る贈与税の申告期限からその認定医療法人が新医療法人への移行をした日から起算して**６年を経過する日までの間**に、その認定が取り消された場合には、1にかかわらず、その**認定医療法人を個人とみなして**、1の**経済的利益**について**贈与税を課する。**

⑵ ⑴の場合において、その認定医療法人は、その**認定が取り消された日の翌日から２月以内**に、1の適用を受けた年分の贈与税についての**修正申告書**を提出し、かつ、その期限内にその修正申告書の提出により納付すべき税額を**納付しなければならない。**

⑶ ⑵の修正申告書で**提出期限内**に提出されたものについては、**期限内申告書とみなす。**

3 手　続（措法70の７の14⑤⑥）✤✤

1の規定は、**税務署長がやむを得ない事情があると認める場合を除き、贈与税の期限内申告書**にこの規定の適用を受けようとする旨を記載し、その認定医療法人が持分の全部又は一部の放棄により受けた経済的利益についての明細その他一定の書類の添付が**ある場合に限り、適用する。**

コラム　@ランダム

【医療法人についての納税猶予制度が創設された背景と今後も残る課題】

平成26年度の税制改正において、同年10月1日から3年間、厚生労働大臣による持分なしの医療法人への移行計画に係る認定を受けた医療法人については、贈与税・相続税の納税猶予制度が適用されることとなりました。

これにより、持分ありの医療法人から持分なしの医療法人への移行を促進することで「医療法人の非営利性の徹底と地域医療の安全性の確保」を目的とした平成18年の医療法改正を税制面から後押しすることとなったわけです。

この平成18年の医療法改正について話を加えますと、同改正によって持分ありの医療法人は新設できなくなり、医療法人の残余財産の帰属先は国や地方公共団体等に限定され、出資者に対する残余財産の分配も禁止されました。これにより同改正以後、新設される医療法人はすべて持分なしの医療法人となり、既存の持分ありの医療法人は、当分の間、経過措置医療法人として存続することとされ、持分なしの医療法人への移行は、自主的な取り組みと位置付けられました。なお、平成18年当時の医療法人社団の総数が41,324件に対し、うち持分ありの医療法人社団の数は40,914件で全体のおよそ99%を占めていましたが、平成22年時点においてもまだ全体のおよそ94%を占めており、持分なしの医療法人への移行が全くと言っていいほど進んでいない状況にありました。

ではなぜ、持分なしの医療法人への移行がスムーズに進んでいないのか、厚生労働省医政局の調査報告内容を覗いてみると、持分（財産）を放棄することに強い抵抗があることが伺えます。つまり、開業時から苦労して地域の医療に貢献してきたにもかかわらず、その成果とも言える財産を全部放棄することに納得がいかないという、ごくごく当然の話です。

ただ一方で、持分ありの医療法人の出資者に相続が発生した際の相続人に対する巨額の相続税が大きな問題とされています。医療法第54条において「医療法人は、剰余金の配当をしてはならない」と規定しているため、長年処分されることなく積み立てられた剰余金によって医療法人の純資産価額が大きく引き上げられた結果、相続税の負担が重く圧しかかり、病院存続の危機に追いやられることもあり得るのです。

それを回避する手段として「持分の放棄」という選択肢もあり、やむを得ず持分なしの医療法人への移行を決断するケースが増えてきているのもまた実情です。

いずれにしても、世界に類を見ない速さで高齢化社会を迎えた我が国において、地域医療の安全性を確保し、安定した医療サービスの提供を実現していくために、新しい納税猶予制度がどれほど貢献できるかは、今後の課題と言えるかもしれません。

 出題年度：H14・H19・H29　他７回

延　納

1　延納の要件 ✤✤✤

⑴　**適用要件**（法38①③）

税務署長は、相続税又は贈与税の申告又は更正若しくは決定により納付すべき**相続税額又は贈与税額が10万円を超え**、かつ、納税義務者について納期限までに又は納付すべき日に**金銭で納付することを困難とする事由がある**場合においては、**納税義務者の申請**により、その**納付を困難とする金額を限度**として、**年賦延納の許可をすることができる**。

⑵　**相続税又は贈与税の延納期間**（法38①③、措法70の８の２①、70の10①）

①　相続税の原則

イ　一般の場合……**５年以内**

ロ　不動産等の割合が$\frac{5}{10}$**以上**の場合

不動産等に係る相続税額……**15年以内**

その他の部分の相続税額……**10年以内**

ハ　不動産等の割合が$\frac{3}{4}$**以上**の場合

不動産等に係る相続税額……**20年以内**

ニ　森林計画立木の割合が$\frac{2}{10}$**以上**、かつ、不動産等の割合が$\frac{5}{10}$**以上**の場合

⑴　森林計画立木部分の相続税額……**20年以内**

⑵　特定森林計画立木部分の相続税額……**40年以内**

②　相続税の特則

①の延納税額がそれぞれイ50万円未満、ロ150万円未満、ハニ⑴200万円未満、ニ⑵400万円未満であるときは、その延納期間は、延納税額を**10万円で除した年数**（１年未満切上）を**超えることができない**。

③　贈与税……**５年以内**

⑶　**相続税の延納年割額等**（法38②、措法70の８の２②）

①　延納年割額は、延納税額を**延納期間に相当する年数で除して計算した金額**とする。

②　税務署長は、森林計画立木の割合が$\frac{2}{10}$**以上**であるときは、その森林計画立木部分の税額については、**伐採の時期**及び**材積**を基礎に分納税額を定めることができる。

(4) **担保の提供**（法38④）

税務署長は、延納の許可をする場合には、その延納税額に相当する**担保を徴さなければならない**。ただし、その延納税額が**100万円以下**で、かつ、その延納期間が**３年以下**である場合には、**この限りでない**。

2 申請手続（法39①㉙㉚）✤✤✤

(1) 延納の許可を申請しようとする者は、相続税又は贈与税の**納期限までに**、又は**納付すべき日**に、一定の事項を記載した申請書に**担保提供関係書類**を添付し、これを納税地の所轄税務署長に**提出しなければならない**。

(2) 延納の許可を受けた者は、その後の資力の状況の変化等により延納の条件について変更を求めようとする場合においては、その**変更を求めようとする条件**その他の一定の事項を記載した申請書をその延納の許可をした税務署長に**提出することができる**。

3 許可又は却下（法39②㉓）✤✤

税務署長は、2の申請書の提出があった場合においては、申請者及び申請に係る事項についての調査に基づき、その**申請書の提出期限の翌日から３月以内**（その調査に３月を超える期間を要すると認めるときは６月以内）にその申請に係る税額の全部又は一部についてその申請に係る条件若しくはこれを変更した条件により延納の**許可**をし、又はその申請の**却下**をする。

ただし、税務署長が延納の許可をする場合において、その申請者の提供しようとする担保が適当でないと認めるときは、その変更を求めることができる。

4 延納の許可の取消し（法40②）✤✤

税務署長は、延納の許可を受けた者が、次の事由に該当したときは、その許可を取り消すことができる。この場合においては、⑶及び⑷に該当したときを除き、あらかじめその者の弁明を聴かなければならない。

(1) 延納税額の滞納その他**延納の条件に違反した**とき。
(2) 担保の変更等の**命令に応じなかった**とき。
(3) 担保物につき**強制換価手続が開始された**とき。
(4) その延納の許可を受けた者が死亡し、その相続人が**限定承認をした**とき。

5 延納に係る利子税（法52①）✤

延納の許可を受けた者は、分納税額を納付する場合においては、その延納税額を基礎とし、その分納期間に応じ、一定の割合を乗じて算出した金額に相当する**利子税を納付しなければならない**。

出題年度：H19・H22・H29 他6回

物 納

1 物納の要件 ✤✤✤

(1) 適用要件（法41①）

税務署長は、納税義務者について納付すべき相続税額を**延納によっても金銭で納付することを困難とする事由がある**場合においては、**納税義務者の申請**により、その**納付を困難とする金額を限度**として、**物納の許可をすることができる。**

この場合において、物納財産の特徴によりその納付を困難とする金額を超える価額の物納財産を収納することについて、税務署長において**やむを得ない事情があると認める**ときは、その**納付を困難とする金額を超えて**物納の許可をすることができる。

(2) 物納に充てることができる財産（法41②、措法70の6の9③、70の7の3③、70の7の7③）

物納に充てることができる財産は、納税義務者の**課税価格計算の基礎となった財産**（その財産により取得した財産を含み、相続時精算課税適用財産及び相続又は遺贈により取得したものとみなされる対象受贈非上場株式等、特例対象受贈非上場株式等並びに特例受贈事業用資産を除く。）で**法施行地にあるもの**のうち次のもの（管理処分不適格財産を除く。）とする。

① 不動産及び船舶

② 次に掲げる有価証券

イ 国債証券及び地方債証券

ロ 社債券、株券、証券投資信託又は貸付信託の受益証券

ハ 金融商品取引所に上場されている有価証券

③ 動産

(3) 物納劣後財産を物納に充てることができる場合（法41④）

⑵①から③の財産のうち物納劣後財産を物納に充てることができる場合は、税務署長において特別の事情があると認める場合を除き、それぞれ⑵①から③の財産のうち物納劣後財産に該当しないもので納税義務者が物納の許可の申請の際現に有するもののうちに適当な価額のものがない場合に限る。

(4) 物納財産の順位（法41⑤）

⑵②ロの財産又は③の財産を物納に充てることができる場合は、税務署長において特別の事情があると認める場合を除き、⑵②ロの財産については⑵①及び②の財産のうち換価の容易なもの、⑵③の財産については⑵①及び②の財産で納税義務者が物納の許可の申請の際現に有するもののうちに適当な価額のものがない場合に限る。

⑸ **物納の特例**（措法70の12①）

税務署長は、納税義務者が物納の許可を申請しようとする場合において、その物納に充てようとする財産が特定登録美術品であるときは、その特定登録美術品については、その納税義務者の申請により、⑷にかかわらず、物納を許可することができる。

2 申請手続（法42①、措法70の12②）✤✤✤

⑴ 物納の許可を申請しようとする者は、相続税の**納期限までに**又は**納付すべき日**に、一定の事項を記載した申請書に**物納手続関係書類**を添付し、これを納税地の所轄税務署長に**提出しなければならない**。

⑵ [1]⑸の適用を受けようとする者は、⑴の申請書に、物納に充てようとする**特定登録美術品**に関する事項を記載した書類を添付して、これを納税地の所轄税務署長に**提出しなければならない**。

3 許可又は却下（法42②⑯⑰㉚）✤✤

⑴ 税務署長は、[2]の申請書の提出があった場合においては、申請者及び申請に係る事項についての調査に基づき、その**申請書の提出期限の翌日から３月以内**（物納財産が多数であること等によりその調査に３月を超える期間を要すると認めるときは６月以内、積雪等によりその調査に６月を超える期間を要すると認めるときは９月以内）にその申請に係る税額の全部又は一部につき**物納財産ごと**に物納の**許可**をし、又はその申請の**却下**をする。

⑵ 税務署長は、物納の許可をする場合において、物納財産の性質その他の事情に照らし必要があると認めるときは、必要な限度においてその**許可に条件を付することができる**。この場合において、その許可に付した条件を記載した書面により、これをその申請者に通知する。

4 物納財産の収納価額等 ✤✤

⑴ **収納価額**（法43①）

物納財産の収納価額は、**課税価格計算の基礎**となったその**財産の価額**による。

ただし、税務署長は、収納の時までにその財産の状況に著しい変化が生じたときは、**収納の時の現況**によりその財産の**収納価額を定めることができる**。

⑵ **納付時期**（法43②）

物納の許可を受けた税額に相当する相続税は、物納財産の引渡し、所有権の移転の登記その他法令により**第三者に対抗することができる要件を充足した時**において、納付があったものとする。

(3) **過誤納額**（法43③）

物納の許可を受けて相続税を納付した場合において、その相続税について過誤納額があったときは、その物納に充てた財産は、納税義務者の申請により、これをその過誤納額の還付に充てることができる。

ただし、その財産が換価されていたとき等は、この限りでない。

5 物納申請の全部又は一部の却下に係る延納（法44①）✤✤

税務署長は、物納の申請があった場合において、延納により**金銭で納付することを困難とする事由がないと認めたこと**から物納の申請の却下をしたとき、又は**納付を困難とする金額がその申請に係る金額より少ないと認めたこと**からその申請に係る相続税額の一部についてその申請の却下をしたときは、これらの却下に係る相続税額につき、これらの**却下の日の翌日から起算して20日以内**にされたその申請者の申請により、その相続税額のうち金銭で一時に納付することを困難とする金額を限度として、**延納の許可をすることができる。**

6 物納申請の却下に係る再申請（法45①）✤✤

税務署長は、物納の申請があった場合において、その申請に係る物納財産が**管理処分不適格財産又は物納劣後財産に該当すること**からその申請の却下をしたときは、その**却下の日の翌日から起算して20日以内**にされたその申請者の申請（その物納財産以外の物納財産に係る申請に限る。）により、その納付を困難とする金額を限度として、**物納の許可をすることができる。**

7 物納の許可の取消し（法48①②）✤✤

(1) 税務署長は、[3](2)により条件（物納財産について一定の事項の履行を求めるものに限る。）を付して物納の許可をした場合において、その一定の事項の履行を求めるときは、その条件に従って期限を定めて、一定の事項を記載した書面により、これを申請者に**通知する。**

(2) 税務署長は、(1)の期限までに一定の事項の履行がない場合には、[3](2)による**通知をした日の翌日から起算して５年を経過する日までに**(1)による通知をしたときに限り、**物納の許可を取り消すことができる。**

8 物納に係る利子税（法53①②）✤

物納の許可を受けた者は、その物納に係る相続税額の納期限又は納付すべき日の翌日から納付があったものとされた日までの期間に応じ、一定の割合を乗じて算出した金額に相当する**利子税を納付しなければならない。**

ただし、一定の期間に対応する部分の利子税は納付することを要しない。

出題年度：H5

物納の撤回

1 物納の撤回 ✤✤

⑴ **適用要件**（法46①）

税務署長は、物納の許可をした不動産のうちに**賃借権**その他の**不動産を使用する権利の目的となっている不動産**がある場合において、その物納の許可を受けた者が、その後物納に係る相続税を、金銭で一時に納付し、又は延納の許可を受けて納付するときは、その不動産については、収納後においても、その**物納の許可を受けた日の翌日から起算して１年以内**にされたその者の**申請**により、その**物納の撤回の承認をすることができる。**

ただし、その不動産が換価されていたとき等は、この限りでない。

⑵ **申請手続**（法46②）

⑴による物納の撤回を申請しようとする者は、一定の事項を記載した**申請書**を納税地の所轄税務署長に**提出しなければならない。**

⑶ **承認又は却下**（法46③）

税務署長は、⑵の申請書の提出があった場合においては、申請者及び申請に係る事項についての調査に基づき、その**申請書の提出があった日の翌日から起算して３月以内**にその申請の**承認**をし、又はその申請の**却下**をする。

2 物納の撤回に係る延納 ✤

⑴ **適用要件**（法47①）

税務署長は、物納の許可を受けた者が物納の撤回の承認を受けようとする場合において、その**物納の許可を受けた者の申請**により、その撤回に係る相続税額につき、その相続税額のうち金銭で一時に納付することを困難とする金額を限度として、**延納の許可をすることができる。**

⑵ **申請手続**（法47②）

⑴の延納の許可を申請しようとする者は、物納の撤回の申請書の提出と同時に、一定の事項を記載した申請書に**担保提供関係書類**を添付し、これを納税地の所轄税務署長に**提出しなければならない。**

出題年度：H22

特定の延納税額に係る物納

1 特定物納の要件（法48の２①）✤✤

税務署長は、延納の許可を受けた者について、延納税額からその納期限が到来している分納税額を控除した残額（以下「**特定物納対象税額**」という。）を**変更された条件による延納によっても金銭で納付することを困難とする事由が生じた**場合においては、その者の**申請**により、特定物納対象税額のうちその納付を困難とする金額を限度として、**物納の許可をすることができる**。

2 申請手続（法48の２②）✤✤

1の物納（以下「特定物納」という。）の許可を受けようとする者は、その特定物納に係る**相続税の申告期限の翌日から起算して10年を経過する日までに**、一定の事項を記載した申請書に**物納手続関係書類**を添付し、これを納税地の所轄税務署長に**提出しなければならない**。

3 許可又は却下（法48の２③）✤

税務署長は、2の申請書の提出があった場合においては、申請者及び申請に係る事項についての調査に基づき、その**提出があった日の翌日から起算して３月以内**にその申請に係る特定物納の許可を求めようとする税額の全部又は一部についてその特定物納に係る財産ごとにその特定物納の**許可**をし、又はその申請の**却下**をする。

4 収納価額（法48の２⑤）✤

特定物納に係る財産の収納価額は、その特定物納に係る**申請時の価額**による。

ただし、税務署長は、収納の時までにその財産の状況に著しい変化が生じたときは、**収納の時の現況**によりその財産の**収納価額を定めることができる**。

10-1 災害減免　　出題年度：H8・R元

相続税又は贈与税の災害減免に関する規定

1 相続税又は贈与税の免除 ✤✤

⑴ **適用要件**（災免法４）

相続税又は贈与税の納税義務者で災害により相続若しくは遺贈又は贈与により取得した財産について相続税又は贈与税の**期限内申告書の提出期限後**に**甚大な被害**を受けた場合において、次の①又は②の要件のいずれかに該当するものに対しては、被害があった日以後において納付すべき相続税又は贈与税（附帯税を除く。以下1において同じ。）のうち、次の算式により計算した金額に相当する**税額を免除する。**

$$\left(\begin{array}{l}\text{被害のあった日以後において}\\\text{納付すべき相続税額又は贈与税額}\end{array}\right)\times\frac{\text{被害を受けた部分の価額}}{\text{課税価格計算の基礎となった財産の価額}}$$

① $$\frac{\text{被害を受けた部分の価額}}{\text{相続税又は贈与税の課税価格の計算の基礎となった財産の価額}}\geqq\frac{1}{10}$$

② $$\frac{\text{動産等について被害を受けた部分の価額}}{\text{相続税又は贈与税の課税価格の計算の基礎となった動産等の価額}}\geqq\frac{1}{10}$$

⑵ **手　続**（災免令11）

⑴の適用を受けようとする者は、一定の事項を記載した**申請書**を、**災害のやんだ日から２月以内**に、納税地の所轄税務署長に**提出しなければならない。**

2 相続税及び贈与税の課税価格の計算 ✤✤

⑴ **適用要件**（災免法６）

相続税又は贈与税の納税義務者で災害により相続若しくは遺贈又は贈与により取得した財産について相続税又は贈与税の**期限内申告書の提出期限前**に**甚大な被害**を受けた場合において、1の⑴①又は②の要件のいずれかに該当するものの納付すべき相続税又は贈与税については、その財産の価額は、**被害を受けた部分の価額を控除した金額**により、これを計算する。

⑵ **手　続**（災免令12）

⑴の適用を受けようとする者は、相続税又は贈与税の**期限内申告書**（正当な事由があると認められる者がこれらの申告書の提出期限後に提出した申告書を含む。）に、一定の事項を**記載しなければならない。**

過去10年の本試験理論問題

本試験の理論問題を原文のまま掲載しています。
試験対策として、問題の傾向の把握にご利用ください。

【巻末付録】

(注)法改正等の影響により、現在施行されている法令では解答できない問題もあります。
なお、参考資料として掲載しているものであり、
解答に関しては弊社ではお答えできませんので、ご了承ください。

第65回　平成27年度　本試験問題

問1　相続税の期限内申告書を提出するまでに被相続人の遺産の全部又は一部が共同相続人又は包括受遺者によって分割されていない場合において、相続税の申告書の作成に当たって注意しなければならない相続税に関する規定を説明し、併せて、相続税の申告書の提出期限までに分割されていなかった遺産が、その後、分割された場合の相続税（附帯税を除く。）の課税上の取扱い及び申告等の特則規定の手続きを説明しなさい（税務署長のとるべき手続関係についての記載は要しない。）。

なお、租税特別措置法に規定する特定計画山林についての相続税の課税価格の計算の特例、相続税の納税猶予及び免除に関する規定についての記載は要しない。

問2　次の設例に基づき、以下の(1)から(5)までの問に答えなさい。

〔設例〕

Z（20歳）は、平成26年中に祖父Yからの書面による贈与により1,000万円の金銭の贈与を受け、その贈与により取得した金銭を教育資金管理契約に基づきV銀行W支店において普通預金に預入をした。

Zは、その贈与を受けた金銭に係る贈与税において、直系尊属から教育資金の一括贈与を受けた場合の贈与税の非課税（租税特別措置法第70条の2の2）（以下「教育資金の非課税」という。）の規定の適用を受けた。

Zは、平成27年中に祖母Xから書面による贈与により700万円の金銭の贈与を受け、その贈与を受けた金銭に係る贈与税においても、教育資金の非課税の規定の適用を受けようと考えている。

なお、平成26年中の祖父Yからの贈与について適用を受けた、教育資金の非課税に係る教育資金管理契約は終了していない。

(1)　「教育資金の非課税」について、その概要を説明しなさい。

(2)　教育資金の非課税の適用を初めて受ける際の手続について説明しなさい。

(3)　本設例において、Zが祖母Xからの金銭の贈与について、教育資金の非課税の適用を受けるための手続と注意しなければならない点について説明しなさい。

(4)　教育資金の非課税の適用を受けた受贈者は、教育資金の支払に充てた金銭に係る領収書その他の書類又は記録でその支払の事実を証するもの（以下「領収書等」という。）を教育資金管理契約に係る取扱金融機関の営業所等に提出しなければならないこととされているが、その領収書等の提出期限について説明しなさい。

(5)　教育資金の非課税の適用に係る教育資金管理契約の終了事由と終了したときにおける贈与税の課税上の取扱いについて説明しなさい。

第66回　平成28年度　本試験問題

問1　相続税の課税価格の計算における債務控除について、以下の⑴及び⑵の問に答えなさい。

⑴　相続税の課税価格の計算に当たり債務控除をすることができる範囲について、次の①及び②の区分に応じて説明しなさい。

①　無制限納税義務者（相続税法第１条の３第１項第１号又は第２号の規定に該当する者をいう。）及び相続開始の時において相続税法の施行地に住所を有する特定納税義務者（相続税法第１条の３第１項第４号の規定に該当する者をいう。以下同じ。）

②　制限納税義務者（相続税法第１条の３第１項第３号の規定に該当する者をいう。）及び相続開始の時において相続税法の施行地に住所を有しない特定納税義務者

⑵　相続税の課税価格の計算に当たり債務控除をすることができる債務の意義について説明しなさい。ただし、公租公課の税目等については、説明を要しない。

問2　次の設例に基づき、以下の⑴から⑶までの問に答えなさい。

〔設例〕

被相続人甲（ドイツ連邦共和国籍）は、ドイツ連邦共和国内に住所を有していたが、平成28年４月20日に死亡し、相続人は全員同日中にその事実を知った。

甲の相続人は、乙、丙及び丁の３名であり、国籍及び甲の相続開始の時における住所地は、次の表のとおりである。

なお、甲は、平成26年３月31日まで日本国内（Ａ市）に住所を有しており、Ａ市には、甲が所有する同日まで居住の用に供していた土地及び建物があり、また、日本国内にある甲の遺産のほとんどがＡ市に所在している。

相続人	国籍	住所地
乙	日本国	日本国内（Ｂ市）
丙	ドイツ連邦共和国	ドイツ連邦共和国内
丁	ドイツ連邦共和国	日本国内（Ｃ市）

（注）１　丙は、日本国内（Ｄ市）を納税地と定め、被相続人甲の死亡に係る相続税の申告書の提出期限までに納税管理人の届出をしている。

２　丁は、平成28年８月１日に納税管理人の届出をせず、ドイツ連邦共和国へ転居し、同日後は、日本国内に住所及び居所を有していない。

⑴　相続税の納税地に関する相続税法の規定について説明しなさい。

⑵　相続税の期限内申告書の提出義務者及び提出期限に関する相続税法の規定について説明しなさい。ただし、相続財産法人に係る財産を与えられた者に係る相続税の期限内申告書の提出義務者及び提出期限については、説明を要しない。

⑶　乙、丙及び丁の被相続人甲の死亡に係る相続税の期限内申告書の提出先及び提出期限について答えなさい。ただし、提出期限の回答に当たっては、土曜日、日曜日、祝日及び休日を考慮する必要はない。

第67回　平成29年度　本試験問題

問１　相続税の延納及び物納制度に関するそれぞれの適用要件について、その概要を説明しなさい。

なお、計画伐採に係る相続税の延納等の特例（租税特別措置法第70条の８の２）及び相続税の物納の特例（同法第70条の12）に関する規定についての説明は要しない。

問２　次の設例に基づき、以下の⑴から⑶までの問に答えなさい。なお、⑶の解答に当たっては、非上場株式等についての贈与税の納税猶予及び免除（租税特別措置法第70条の７）の適用要件はすべて満たしているものとする。

〔設例〕

非上場会社であるW株式会社（以下「W社」という。）の代表取締役であった贈与者甲は、平成29年９月21日に、次の財産を長男Ａ（45歳）に贈与した。

〔贈与者甲が贈与した財産の内訳〕

・W社の株式　200,000株　１株当たりの相続税評価額　300円

・現金　10,000,000円

（注）１　W社の贈与直前における発行済株式の総数は、300,000株である。なお、W社の発行済株式は、すべて議決権に制限のない株式である。

２　贈与者甲が贈与直前に有していたW社の株式数は、200,000株である。

３　長男Ａが贈与直前に有していたW社の株式数は、100,000株である。

⑴　租税特別措置法第70条の７第１項に規定する贈与者の要件について説明しなさい。

⑵　租税特別措置法第70条の７第１項に規定する経営承継受贈者の要件について説明しなさい。

⑶　設例において、租税特別措置法第70条の７第１項の規定の適用を受ける場合における平成29年分の贈与税の納税猶予税額及び贈与税の申告書の提出期限までに納付すべき税額について、計算の根拠を示しながら求めなさい。なお、贈与税の納税猶予税額及び贈与税の申告書の提出期限までに納付すべき税額が２以上ある場合には、そのすべてについて示しなさい。

なお、長男Ａは、特定贈与者を贈与者甲として、平成28年分以前に相続時精算課税の適用を受けたことはない。

また、長男Ａは、平成29年中において、贈与者甲以外の者からの贈与を受けていない。

贈与税の速算表（平成27年１月１日以降適用）が資料として付与されています。

第68回　平成30年度　本試験問題

次の**問１**及び**問２**について答えなさい。

なお、**問１**及び**問２**の解答に当たっては、経過措置（所得税法等の一部を改正する法律（平成30年法律第７号）附則に規定する内容をいう。）についての記載は要しない。

問１　相続税法において、個人以外の者に相続税を課すこととされている規定について、それらの内容及び計算方法をそれぞれ説明しなさい。

問２　小規模宅地等についての相続税の課税価格の計算の特例（以下**問２**において「特例」という。）について次の問に答えなさい。

⑴　特例の適用対象となる「特定居住用宅地等」の適用要件について、その内容を説明しなさい。

⑵　特例の適用対象となる「貸付事業用宅地等」の適用要件について、その内容を説明しなさい。

第69回　令和元年度　本試験問題

問１　相続時精算課税について、次の問に答えなさい。

⑴　相続時精算課税について、相続税法に規定されている適用要件及び適用手続を説明しなさい。

⑵　⑴の相続時精算課税の適用要件については、租税特別措置法において各種の特例措置が設けられているが、それらを列挙し簡潔に説明しなさい。

問２　租税特別措置法及び災害被害者に対する租税の減免、徴収猶予等に関する法律で規定され、災害があった場合に適用が可能とされている相続税の課税価格の計算の特例について、それぞれの内容を説明しなさい。

なお、民法第958条の３に規定する特別縁故者に対する相続財産の分与についての記載は要しない。

第70回　令和２年度　本試験問題

問１　次の設例に基づき、以下の⑴から⑶までの問に答えなさい。

［設例］

被相続人甲は、令和元年８月１日に死亡した。相続人は、子Ａ、子Ｂ、子Ｃの３人であり、被相続人甲の死亡事実は死亡日において知った。

被相続人甲の財産は、居住用の宅地及び家屋5,000万円、預貯金4,000万円、有価証券3,000万円の合計１億２千万円であった。相続税の申告期限までに遺産分割協議が調わなかったことから、相続人は相続税法第55条の規定に基づき相続税の期限内申告を共同で行った。

その後、次のように遺産分割の協議及び特別寄与料の額の協議が成立した。

①　被相続人甲が、生前、居住の用に供していた宅地及び家屋は、Ａが相続した。Ａは、Ａの配偶者Ｄと共に、その家屋で被相続人甲と同居していたが、相続税の申告期限以降も居住を継続している。

②　Ａの配偶者Ｄは、被相続人甲と同居し、その療養介護を務めていたことから、相続開始後、相続人であるＢ及びＣに対し寄与に応じた額の特別寄与料の支払いを請求し、700万円の特別寄与料の支払いを受けることとなった。

③　Ｂ及びＣは、預貯金及び有価証券を２分の１ずつ取得した。

⑴　Ａが、被相続人甲の居住の用に供されていた宅地について小規模宅地等の特例（租税特別措置法第69条の４）を適用するための手続について説明しなさい。

⑵　相続税法に特別寄与料に係る規定が設けられている理由に触れつつ、Ｄの相続税の課税価格及び税額の計算と申告手続について説明しなさい。

⑶　相続税法上、子Ｂ及び子Ｃの取ることができる申告等の手続について説明

するとともに、子B及び子Cの課税価格の計算について説明しなさい。

問2　次の設例に基づき、以下の問に答えなさい。

［設例］

Xは、平成20年４月に、Yに対し消費貸借契約に基づき金銭を貸し付けた。Xは、金銭債権の保全のためYが所有する土地Zに抵当権を設定した。令和２年８月に、Yは、土地Zの譲渡をもって代物弁済を行い、Xは、Yに対して有する金銭債権の残額(代物弁済直前の額)を消滅させた。

［問］

代物弁済が行われたことにより、贈与税の課税が問題となる場合について、関連する条文とその趣旨に触れつつ説明しなさい。

第71回　令和３年度　本試験問題

問1　次の設例に基づき、以下の⑴及び⑵の問に答えなさい。

［設例］

甲(日本国籍有)は、平成19年６月から令和３年５月までの間、米国に住所を有していたが、令和３年６月から東京都に住所を有している。

甲が、令和３年中に贈与により取得した財産は次のとおりである。

1　令和３年４月に、父から米国国債(評価額1,000万円)と東京都内に所在する土地(評価額2,000万円)の贈与を受けた。なお、父は、米国に住所を有し、当該贈与の前10年以内において日本国内に住所を有したことがない者である。

2　令和３年７月に、父から米国に本店が所在する会社の株式(評価額500万円)の贈与を受けた。

3　令和３年９月に、祖父から現金1,000万円(日本国内の金融機関の祖父名義の預金から出金されたもの)の贈与を受けた。なお、祖父は日本国内に住所を有している。

⑴　相続税法における住所の意義について説明しなさい。

⑵　甲の令和３年分の贈与税の課税価格について、関連する条文に触れつつ説明しなさい。

問2　次の設例に基づき、以下の問に答えなさい。

［設例］

令和３年４月に個人Ａ(居住者)は、自らが理事長を務める持分の定めのないＢ法人(国内法人)に対し事業資金として１億２千万円の贈与を行った。

同月、Ｂ法人は、当該資金を原資に長年Ｂ法人の理事を務める個人Ｃから Ｄ土地を購入した。Ｄ土地をＢ法人が購入した時における時価は5,000万円、購入対価は１億円であった。この購入対価は、時価に照らして不相当に高額であり、Ｂ法人はＣに対して特別の利益を与えていると認められる。

［問］

Ａの行った事業資金の贈与に関し、どのような贈与税の課税関係が考えられるか、関連する条文とその趣旨に触れつつ説明しなさい。

第72回　令和４年度　本試験問題

問１　次の［設例］に基づき、以下の［問］に答えなさい。

［設例］

父Ｘは、令和４年８月に死亡し、子Ａ（大学院に在学）は相続により財産を取得した。子Ａが、父Ｘから生前に取得していた財産は次のとおりであり、贈与税の申告、納付が必要なものについては適法に済ませている。

なお、父Ｘ及び子Ａは、日本国籍を有しており、日本国外に住所を有していたことはない。また、以下の１～４に掲げる贈与以外の贈与については考慮する必要はない。

１　平成30年11月に、父Ｘから、現金500万円の贈与を受けた。

２　令和元年５月に、父Ｘから、土地の贈与（贈与時の時価1,000万円、相続開始時の時価2,500万円）を受け、父Ｘを特定贈与者として、相続時精算課税の適用を受けた。

３　令和２年10月に、父Ｘから、米国国債（贈与時の時価2,000万円、相続開始時の時価2,100万円）の贈与を受けた。

４　令和３年４月に、父Ｘを委託者とする信託受益権（1,000万円）を取得し、直系尊属から教育資金の一括贈与を受けた場合の贈与税の非課税（租税特別措置法第70条の２の２）の適用を受けた。なお、父Ｘの相続開始の日における教育資金支出額は500万円であり、子Ａは、在学証明書を贈与者の死亡の届出と併せて取扱金融機関に提出している。

［問］

子Ａの相続税の計算上、課税価格に加算される財産の価額及び課された贈与税の課税上の取扱いについて、関連する条文に触れつつ説明しなさい。

問2　次の[設例]に基づき、以下の(1)及び(2)の問に答えなさい。

[設例]

子Bは、平成30年5月に、父Yから非上場会社の株式の贈与（1,000株。贈与時の時価は1株当たり5万円）を受け、非上場株式等についての贈与税の納税猶予及び免除の特例（租税特別措置法第70条の7の5）の適用を受けた。父Yは、特例経営贈与承継期間の経過後に死亡した（当該株式の相続開始時の時価は1株当たり10万円）。

(1)　上記の特例の趣旨と概要について、簡潔に説明しなさい。

(2)　父Yが死亡した場合における、上記の特例の適用を受けた上記の株式に係る贈与税及び相続税の課税上の取扱いについて、関連する条文に触れつつ説明しなさい。

第73回　令和5年度　本試験問題

問1　次の[設例]に基づき、以下の[問]に答えなさい。

[設例]

被相続人Aは、令和5年8月に死亡した。その配偶者B及び子Cは、次のとおり被相続人Aが所有していた宅地を相続により取得し、それぞれ、相続税の申告期限まで引き続き所有しており、かつ、相続開始直前に居住していた家屋に引き続き居住している。

	相続財産	相続開始直前における利用状況	取得者
①	甲宅地	被相続人Aの孫Dの居住の用に供されていた家屋の敷地	配偶者B
②	乙宅地	被相続人A及び配偶者Bの居住の用に供されていた家屋の敷地	子C
③	丙宅地	子Cの居住の用に供されていた家屋の敷地	子C

(注1)　上記の家屋は、いずれも、相続開始直前において被相続人Aが所有していた。なお、被相続人Aへの家賃及び地代等の支払はなかった。

(注2)　相続開始直前において、配偶者Bと子Cは被相続人Aと生計を一にしており、孫Dは被相続人Aと生計を別にしていた。

(注3)　これらの者は、全員が日本国籍を有しており、日本国外に住所を有していたことはない。

[問]　配偶者B及び子Cが取得したそれぞれの宅地が、小規模宅地等の特例（租税特別措置法第69条の4）における特定居住用宅地等に該当するかどうか、関連する条文に触れつつ説明しなさい。

問２　次の［設例］に基づき、以下の⑴及び⑵の問に答えなさい。

［設例］

個人Ｘ（居住者）が代表理事を務める一般社団法人Ｚ（内国法人）は、令和２年６月１日に、個人Ｘから現金8,000万円の贈与を、その配偶者Ｙから現金5,000万円の贈与をそれぞれ受け、計１億3,000万円を取得した。

令和５年９月に個人Ｘは死亡した。一般社団法人Ｚの理事は、相続開始直前まで、個人Ｘ、配偶者Ｙ及びこれらの者の子２人の計４人であり、相続開始時における一般社団法人Ｚの純資産額は４億円であった。なお、個人Ｘの遺産はないものとする。

⑴　一般社団法人Ｚの令和２年分の贈与税に関し、どのような課税関係が考えられるか、関連する条文に触れつつ説明しなさい。

⑵　個人Ｘの相続に係る一般社団法人Ｚの相続税に関し、どのような課税関係が考えられるか、関連する条文に触れつつ説明しなさい。

第74回　令和６年度　本試験問題

問１　次の［設例］に基づき、以下の［問］に答えなさい。

［設例］

個人Ａ（居住者）は、令和４年６月１日に、その配偶者Ｂ（居住者。個人Ａとの婚姻期間は25年）から、①国債（贈与時の時価1,000万円）及び②配偶者Ｂが所有する宅地の上に存する家屋（贈与時の時価1,500万円）の贈与を受け、その年中にその家屋を配偶者Ｂとともに居住の用に供した。個人Ａは、令和４年分の贈与税の申告において贈与税の配偶者控除（相続税法第21条の６）の適用を受け、適法に申告と納付を済ませている。なお、個人Ａと配偶者Ｂとの間で家賃及び地代等の授受は行われていない。

令和６年７月１日に配偶者Ｂは死亡した。遺産は現金8,000万円及び上記の家屋（相続開始時の時価1,000万円）の敷地の用に供している宅地（小規模宅地等の特例（租税特別措置法第69条の４）の適用後の課税価格9,000万円）であり、唯一の相続人である個人Ａが取得した。

［問］　個人Ａの⑴令和４年分の贈与税の課税価格及び⑵配偶者Ｂの相続に係る相続税の課税価格について、関連する条文に触れつつ、それぞれ説明しなさい。

なお、⑴の解答に当たっては、贈与税の配偶者控除の概要についても説明すること。また、⑴及び⑵の課税価格は、贈与税の基礎控除額又は相続税の遺産に係る基礎控除額の控除前の金額とし、配偶者居住権及び小規模宅地等の特例に関する事項並びに納税義務者の範囲については説明を要しない。

問２　次の［設例］に基づき、以下の⑴及び⑵の問に答えなさい。

［設例］

個人Ａ（居住者）は、将来、博物館を設置運営する公益財団法人Ｘ（内国法人）に対し、自己が保有している絵画を寄附しようと考えている。推定相続人はその配偶者Ｂと子Ｃの計２人である。

［問］

⑴　個人Ａが遺言によりこの絵画を公益財団法人Ｘに寄附する場合、その絵画に係る公益財団法人Ｘの相続税の課税関係について、関連する条文に触れつつ説明しなさい。

⑵　個人Ａが死亡し、子Ｃが相続によりこの絵画を取得して公益財団法人Ｘに寄附をする場合、その絵画に係る子Ｃの相続税の課税関係について、関連する条文に触れつつ説明しなさい。なお、解答に当たっては、子Ｃがこの絵画を寄附したことにより受けることができる相続税の非課税措置についても説明すること。

税法用語の使い方を押さえよう！

法令上の用語の中には、「慣用語」といって法令中に頻繁に出てきて、特別の意義をもって用いられる言葉があり、税法条文を読んでそれを正確に理解するためには、そうした「慣用語」とその意義についての知識が不可欠となります。

１．「以上」「超える」と「以下」「未満」（≧、＞、≦、＜）

これらは、いずれも数量的限定をする場合に用いられます。

「以上」及び「以下」というときは、基準点になる数量等を含むのに対して、「超える」及び「未満」というときは、基準点となる数量を含みません。

〈例〉１、２、３、４、５

⑴　３以上は３と４と５であるのに対し、３を超えるは４と５になります。

⑵　３以下は３と２と１であるのに対し、３未満は２と１になります。

２．「以前」「以後」と「前」「後」

「以前」や「以前」はその日時を含むのに対して、「前」や「後」は含みません。

〈例〉「令和７年１月１日**以前**３年間」

➜ 令和４年１月２日から令和７年１月１日

「令和７年１月１日**前**３年間」

➜ 令和４年１月１日から令和６年12月31日

３．「以内」

これは、通常、期間、広さその他の数量の一定限度を表すために用いられます。

例えば、「その相続の開始があった日の翌日から10月**以内**」という場合には10月になる日を含むこととなります。

〈例〉　令和７年４月25日が相続の開始の日の場合

➜　翌日から10月**以内** ➜　令和７年４月26日から令和８年２月25日まで

4．「者」「物」「もの」

⑴「者」

「者」は法律上の人格をもつ主体をいい、自然人及び人格をもつ法人を含む意味に用いられます。

⑵「物」

「物」は「者」以外の有機物や法律上の権利などをあらわします。

⑶「もの」

「もの」は「者」又は「物」で表現することのできない抽象的なものをあらわす場合や、代名詞として「者」「物」その他の用語をあらわす場合に用いられます。

5．「場合」「とき」「時」

「場合」や「とき」は仮定的条件を示す言葉として用い、「時」は具体的な時点を示す言葉として用います。

なお、前提条件が２つあるときは、大きな前提条件は「場合」であらわし、小さな

前提条件は「とき」であらわします。

〈例〉「場合」＋「とき」

この**場合**において、その者が**相続人**であるとき**は相続により取得した～**

〈例〉「時」

相続又は遺贈により財産を取得した個人でその財産を取得した**時**において～

6．「推定」「みなす」

⑴「推定」は、反証があがらない場合に、ある事物と同一であるかどうか不明の他の事物を、一応その事物と同一視して判断を下すことをいいます。

⑵「みなす」は、他の事項と本来性質の異なるある事項を、法令上同一なものと認定してしまうことをいい、反証を許さず、絶対的に同一なものとして扱う点で「推定」と異なります。

7．「又は」「若しくは」

これらは、いずれも選択的接続詞といわれます。

「又は」と「若しくは」は連結されたもののどちらかを指し、同じ意味ですが、連結する言葉が２個であれば、「又は」を用います。連結される言葉が３個以上であっても、同じ段階で並べて選択するときは、初めの接続詞は「、」でつなぎ、最後の部分を「又は」で結びます。

これに対し、選択的接続の段階が複雑で２段階以上である場合には、大きい選択的連結には「又は」を用い、小さい選択的連結には「若しくは」を用います。

〈例〉「又は」

⑴　ＡとＢのいずれか（Ａ又はＢ）

相続**又は**遺贈により財産を取得～

⑵　ＡとＢとＣのいずれか（Ａ、Ｂ又はＣ）

その財産の取得、維持**又は**管理のために生じた債務

〈例〉「若しくは」

⑴　ＡとＢのいずれかと、Ｃのいずれか（Ａ若しくはＢ又はＣ）

相続**若しくは**遺贈又は贈与

8．「及び」「並びに」

これらはいずれも併合的接続詞といわれます。

「及び」と「並びに」はともに、名詞と名詞、動詞と動詞を並列的に並べてこれを併合的に連結するもので同じ意味ですが、並列される言葉が２個であるときは、「及び」を用い、並列される言葉が３個以上であっても同じ意味で並べる場合には、初めの接続詞は、「、」でつないでおき、最後の部分を「及び」で結びます。

連結の段階が複雑な文章では、大きな意味の「併合的連結」には「並びに」を用い、小さな意味の「併合的連結」には「及び」を用います。

〈例〉「及び」

⑴　ＡとＢ（Ａ及びＢ）

不動産**及び**船舶

⑵　ＡとＢとＣ（Ａ、Ｂ及びＣ）

特定事業用宅地等、特定居住用宅地等**及び**特定同族会社事業用宅地等である小規模宅地等

〈例〉「並びに」と「及び」

⑴　ＡとＢのグループとＣ（Ａ及びＢ並びにＣ）

墓所、霊びょう**及び**祭具**並びに**これらに準ずるもの

9．「その他」「その他の」

「その他の」という場合は、包括的な例示をする場合に用い、その字句のすぐ上に掲げられているものを含み、その字句のすぐ上に掲げられているものはその一例示として挙げられているにすぎません。

これに対して「その他」という場合には並列的な例示をする場合に用い、その字句のすぐ上に掲げられているものは含みません。

〈例〉「その他の」

精神上の障害により事理を弁識する能力を欠く常況にある者、失明者**その他の**精神又は身体に～

〈例〉「その他」

宗教、慈善、学術**その他**公益を目的とする事業を行う者で～

10．期間の計算

税法の期間計算には「日後○○日」「日から○○日」「日から起算して○○日」などがあります。

なお、期間計算に関連する用語として「経過する日」と「経過した日」があるため注意が必要です。

⑴ 「日後○○日」となっている場合には、起算日は入らないのでその翌日から数えて○○日となります。

〈例〉 1月1日**後**10日以内 → 1月2日から起算して1月11日まで

⑵ 「日から○○日」となっている場合には、国税通則法第10条第1項の規定により初日を算入しないのが原則となるため、その翌日から数えて○○日となります。

〈例〉 1月1日**から**10日以内 → 1月2日から起算して1月11日まで

(注) 国税通則法第10条1項

期間の初日は算入しない。ただし、その期間が午前零時から始まるとき※、又は国税に関する法律に別段の定めがあるときは、この限りでない。

※ その期間が午前零時から始まるとき

「改正法の施行の日から」や「事業年度開始の日から」がこれに当たります。

⑶ 「日から起算して○○日」となっている場合には、その期間が起算点に当たる日の午前零時から始まるか否かにかかわらず、すべて起算日当日から起算します。

〈例〉 1月1日**から起算して**10日 → 1月1日から起算して1月10日まで

⑷ 「経過する日」と「経過した日」

「経過する日」の場合には期間の満了する日を指すのに対し、「経過した日」の場合は満了した日の翌日を指すこととなります。

〈例〉 令和７年４月１日から起算して１年を**経過する日** → 令和８年３月31日

令和７年４月１日から起算して１年を**経過した日** → 令和８年４月１日

2025年度版

税理士試験教科書・問題集・理論集 ラインナップ

簿記論・財務諸表論の教材

税理士試験教科書　簿記論・財務諸表論Ⅰ　基礎導入編【2025 年度版】	3,630 円（税込）	好評発売中
税理士試験問題集　簿記論・財務諸表論Ⅰ　基礎導入編【2025 年度版】	3,300 円（税込）	好評発売中
税理士試験教科書　簿記論・財務諸表論Ⅱ　基礎完成編【2025 年度版】	3,630 円（税込）	好評発売中
税理士試験問題集　簿記論・財務諸表論Ⅱ　基礎完成編【2025 年度版】	3,300 円（税込）	好評発売中
税理士試験教科書　簿記論・財務諸表論Ⅲ　応用編【2025 年度版】	2024 年 11 月発売予定	
税理士試験問題集　簿記論・財務諸表論Ⅲ　応用編【2025 年度版】	2024 年 11 月発売予定	
税理士試験教科書　財務諸表論　理論編【2025 年度版】	2024 年 12 月発売予定	

法人税法の教材

税理士試験教科書・問題集　法人税法Ⅰ　基礎導入編【2025 年度版】	3,300 円（税込）	好評発売中
税理士試験教科書　法人税法Ⅱ　基礎完成編【2025 年度版】	3,630 円（税込）	好評発売中
税理士試験問題集　法人税法Ⅱ　基礎完成編【2025 年度版】	3,300 円（税込）	好評発売中
税理士試験教科書　法人税法Ⅲ　応用編【2025 年度版】	2024 年 12 月発売予定	
税理士試験問題集　法人税法Ⅲ　応用編【2025 年度版】	2024 年 12 月発売予定	
税理士試験理論集　法人税法【2025 年度版】	2,420 円（税込）	好評発売中

相続税法の教材

税理士試験教科書・問題集　相続税法Ⅰ　基礎導入編【2025 年度版】	3,300 円（税込）	好評発売中
税理士試験教科書　相続税法Ⅱ　基礎完成編【2025 年度版】	3,630 円（税込）	好評発売中
税理士試験問題集　相続税法Ⅱ　基礎完成編【2025 年度版】	3,300 円（税込）	好評発売中
税理士試験教科書　相続税法Ⅲ　応用編【2025 年度版】	2024 年 12 月発売予定	
税理士試験問題集　相続税法Ⅲ　応用編【2025 年度版】	2024 年 12 月発売予定	
税理士試験理論集　相続税法【2025 年度版】	2,420 円（税込）	好評発売中

消費税法の教材

税理士試験教科書・問題集　消費税法Ⅰ　基礎導入編【2025 年度版】	3,300 円（税込）	好評発売中
税理士試験教科書　消費税法Ⅱ　基礎完成編【2025 年度版】	3,630 円（税込）	好評発売中
税理士試験問題集　消費税法Ⅱ　基礎完成編【2025 年度版】	3,300 円（税込）	好評発売中
税理士試験教科書　消費税法Ⅲ　応用編【2025 年度版】	2024 年 12 月発売予定	
税理士試験問題集　消費税法Ⅲ　応用編【2025 年度版】	2024 年 12 月発売予定	
税理士試験理論集　消費税法【2025 年度版】	2,420 円（税込）	好評発売中

国税徴収法の教材

税理士試験教科書　国税徴収法【2025 年度版】	4,620 円（税込）	好評発売中
税理士試験理論集　国税徴収法【2025 年度版】	2,420 円（税込）	好評発売中

※　書名・価格・発行年月は変更する場合もございますので、予めご了承ください。（2024 年 9 月現在）

本書の発行後に公表された法令等及び試験制度の改正情報、並びに判明した誤りに関する訂正情報については、弊社WEBサイト内の『**読者の方へ**』にてご案内しておりますので、ご確認下さい。

https://www.net-school.co.jp/

なお、万が一、誤りではないかと思われる箇所のうち、弊社WEBサイトにて掲載がないものにつきましては、**書名（ＩＳＢＮコード）と誤りと思われる内容**のほか、お客様の**お名前及び郵送の場合はご返送先の郵便番号とご住所**を明記の上、弊社まで**郵送またはe - mail**にてお問い合わせ下さい。

＜郵送先＞　〒101－0054
東京都千代田区神田錦町3－23メットライフ神田錦町ビル３階
ネットスクール株式会社　正誤問い合わせ係

＜e - mail＞　seisaku@net-school.co.jp

※正誤に関するもの以外のご質問、本書に関係のないご質問にはお答えできません。
※**お電話によるお問い合わせはお受けできません。**ご了承下さい。

税理士試験　理論集
相続税法　【2025年度版】

2024年９月12日　初版　第１刷

著　　　　者　ネットスクール株式会社
発　行　者　桑原知之
発　行　所　ネットスクール株式会社　出版本部
〒101－0054　東京都千代田区神田錦町3－23
電　話　03（6823）6458（営業）
ＦＡＸ　03（3294）9595
https://www.net-school.co.jp
執筆総指揮　山本和史
表紙デザイン　株式会社オセロ
編　　　　集　吉川史織　加藤由季
ＤＴＰ制作　中嶋典子　石川祐子　吉永絢子
有限会社ドアーズ本舎　長谷川正晴
印刷・製本　倉敷印刷株式会社

　Printed in Japan　ISBN　978-4-7810-3827-8